Marina Mattei - Costanza Merzagora Piatti - Cristina Merzagora Piatti

letture in Gioco

attività e giochi per leggere in italiano

ALMA Edizioni - Firenze

Progetto grafico e impaginazione: **Andrea Caponecchia**

Illustrazioni e disegno copertina: **Armando Pérez**

Redazione: **Ciro Massimo Naddeo**

Per comunicare con le autrici: lettureingioco@yahoo.it

Printed in Italy
la Cittadina, azienda grafica - Gianico (BS)
www.lacittadina.it

Alma Edizioni
viale dei Cadorna, 44
50129 Firenze
tel ++39 055476644
fax ++39 055473531
info@almaedizioni.it
www.almaedizioni.it

Ringraziamenti

Un grazie di cuore a Giuseppina Valenti per l'entusiasmo, gli stimoli e le riflessioni che ci ha regalato in questi anni.

Dedica

Questo libro è dedicato ai nostri studenti e ai momenti piacevoli trascorsi assieme.

Introduzione

Letture in gioco si propone di sviluppare l'abilità di lettura e la competenza testuale. Si rivolge ad apprendenti di tutti i livelli: dall'elementare all'avanzato.
Il libro è costituito da 29 *Unità didattiche*, un'*Introduzione*, le *Istruzioni per l'insegnante* e le *Soluzioni*.

La scelta dei testi

La scelta dei testi è stata guidata dai seguenti criteri:

- autenticità: i testi non sono stati né adattati, né ridotti e, laddove possibile, conservano lo stesso layout della fonte;
- varietà della tipologia testuale: lettere ai giornali, articoli di cronaca e di opinione, testi regolativi, fumetti, giochi enigmistici, racconti, poesie, pubblicità, testi giuridici, aforismi, interviste, e.mail;
- varietà e originalità tematica: da argomenti di tono più lieve ad altri più impegnati;
- funzionalità all'attivazione delle diverse strategie e tecniche di lettura;
- non deperibilità del contenuto.

Tecniche e attività per la comprensione

Ogni unità prevede un approccio graduale al testo, da una comprensione globale ad una più analitica. Questo attraverso l'attivazione di diverse strategie di lettura e l'utilizzo di tecniche di lettura differenziate a seconda degli obiettivi e degli scopi richiesti allo studente.
Cloze, incastri, domande, griglie, scelte multiple, transcodificazioni, drammatizzazioni, confronti di testi sono alcune delle tecniche presenti.
L'ampia gamma delle attività e delle tecniche proposte vuole tener conto dei differenti stili di apprendimento e delle "multiple intelligences".
Allo studente si richiede di tornare allo stesso testo, ma con compiti e tecniche *diversi* per tenere alti l'interesse e la motivazione e per sviluppare la comprensione.
Ogni fase del lavoro sul testo prevede momenti di confronto tra studenti, a coppie, in piccoli gruppi o in plenum. La condivisione e lo scambio di informazioni sono infatti un momento fondamentale del processo di apprendimento.
Si è cercato inoltre di visualizzare i processi cognitivi implicati con tabelle, insiemi di parole, frecce, materiale iconografico.
Le attività proposte del resto non intendono esaurire le possibilità di utilizzo del testo. Come sempre accade, la realtà specifica della classe e il metodo didattico dell'insegnante comporteranno gli aggiustamenti e le integrazioni necessari.

La riflessione grammaticale è posta in genere alla fine delle attività di comprensione, dopo che gli studenti hanno acquisito sufficiente familiarità col testo. Gli elementi e le strutture linguistiche sono analizzati in rapporto alla rete di relazioni e significati che intessono all'interno del testo stesso (coerenza, coesione, inferenza di significati...). Si tratta di solito di attività di consolidamento e di revisione di aspetti già affrontati dallo studente. Il lavoro sulla grammatica è comunque sempre presentato dopo quello sui contenuti e l'approccio è sempre quello testuale e induttivo.
Un ampio spazio è stato dato anche agli aspetti lessicali: campi semantici, sinonimi e contrari, espressioni e formule d'uso, proverbi. Sono previste anche attività per l'utilizzo del dizionario.

Altre attività

Accanto alle attività di comprensione sono presenti anche attività che coinvolgono altre abilità comunicative: produzioni orali e scritte, task, role play, giochi.
Tali attività rispondono all'esigenza di completare l'unità aggiungendo motivazione e piacere.
Il percorso didattico è concepito come percorso integrato.
Per questo, tali attività, per quanto non strettamente necessarie, sono vivamente consigliate (eventualmente in ordine diverso o debitamente adattate alle esigenze della classe).

Istruzioni e Soluzioni

L'esecuzione della maggior parte delle attività è immediatamente comprensibile dalle consegne riportate nell'unità; altre più articolate (come ad es. i giochi) sono invece spiegate nelle *Istruzioni per l'insegnante*, dove si possono trovare anche alcuni *Materiali Fotocopiabili* e consigli e indicazioni supplementari. In fondo al libro sono riportate le *Soluzioni* (naturalmente solo di quelle attività che prevedono una risposta chiusa).

Le autrici

Tavola sinottica

Unità	Titolo e genere testuale	Livello	Contenuti grammaticali	Contenuti lessicali	Tecniche e attività per la comprensione
1 *pag. 10*	**Promemoria** *poesia*	**1**		vita quotidiana; viva/abbasso	ricostruzione del testo; abbinamento parola-disegno
2 *pag. 13*	**Disegni** *didascalie*	**1**			treno di parole; abbinamento disegno-titolo
3 *pag. 17*	**Altri numeri** *notizie curiose*	**1**	concordanze aggettivo-sostantivo;	sostantivi; numeri e unità di misura	cloze; domanda
4 *pag. 20*	**Sole** *poesia*	**1**	riconoscere le diverse categorie grammaticali	i colori; <u>dal dizionario</u>: viola	associazioni di idee; completare un disegno; crittogramma
5	**Gli occhiali giusti** *consigli*	**1**	concordanza aggettivo-sostantivo	forme geometriche	cloze; abbinamento parole-disegno; completare un disegno
pag. 24 **6** *pag. 28*	**Padri e figli** *articolo di cronaca*	**1**	[κ] / [τʃ]; preposizioni		domanda; riconoscere sinonimi; riferimento anaforico
7 *pag. 32*	**L'astronave** *articolo di cronaca*	**1**	aggettivi di nazionalità; sostantivi maschili singolari in -a; articoli determinativi; passato prossimo	lo spazio	cloze; confrontare due testi; griglia
8 *pag. 36*	**Il tempo** *pubblicità*	**2**	riconoscere le diverse categorie grammaticali	aggettivi di personalità; come si misura il tempo; rumori e onomatopee	cloze; domanda

Unità	Titolo e genere testuale	Livello	Contenuti grammaticali	Contenuti lessicali	Tecniche e attività per la comprensione
9 *pag. 41*	**Cose di carta** *lettera a rivista*	2	pronomi: riferimento anaforico	cose fatte di carta; dal dizionario: accumulare montagna moltitudine	abbinamento testo-titolo; domanda; riconoscere contrari
10 *pag. 44*	**La cresta** *racconto*	2		proverbio	abbinamento testo-immagine; domanda; riconoscere sinonimi
11 *pag. 48*	**La paghetta** *articolo di cronaca*	2	punteggiatura	scuola; soldi	domanda; scelta multipla; fare domande sul testo
12 *pag. 53*	**La dolce vita** *guida*	2	concordanza aggettivo-sostantivo	cibo; Mica...!	domanda; abbinamento; riconoscere sinonimi
13 *pag. 57*	**Se la tazza** *poesia*	2	riflessione metalinguistica: nomi, pronomi, verbi, altro; ortografia		relazioni tra parole in un testo
14 *pag. 59*	**Scena sesta** *romanzo*	2	pronome/articolo; prefisso RI-; preposizioni semplici e articolate	sostantivi	ricostruzione del testo; domanda; abbinamento parola-immagine; scelta multipla; transcodificazione
15 *pag. 64*	**Prima del bip** *messaggi telefonici*	2	presente/imperativo	la segreteria telefonica	abbinamento testo-titolo; abbinamento parola-definizione/ sinonimi; domanda

Tavola sinottica

Unità	Titolo e genere testuale	Livello	Contenuti grammaticali	Contenuti lessicali	Tecniche e attività per la comprensione
16 *pag. 68*	**Una favola americana** *articolo*	**2**	riscrittura: dal maschile al femminile	lavoro; economia; assicurazioni; dal dizionario: personale capitale, catena	scelta multipla; domanda; abbinamento parola-definizione
17 *pag. 73*	**In viaggio** *intervista*	**3**		viaggi	incastro; griglia; abbinamento parola-definizione; domanda
18 *pag. 76*	**Quegli uomini che** *fumetto*	**3**		stati d'animo	abbinamento battute; riconoscere sinonimi; domanda
19 *pag. 79*	**Il quadro** *racconto*	**3**	coerenza e coesione testuale		domanda abbinamento aforisma-testo; griglia
20 *pag. 82*	**Tiscali lavoro** *articolo Internet*	**3**	dal dizionario: prefisso IN-; pur di… almeno così…	lavoro	cloze; domanda; riconoscere sinonimi
21 *pag. 87*	**Melodramma** *pubblicità*	**3**	riflessione metalinguistica; connettivi; concordanza sostantivo-aggettivo	dal dizionario: melodramma; frutta	domanda; abbinamento testo-musica; griglia
22 *pag. 92*	**La Costituzione** *leggi*	**3**	riconoscere e utilizzare le diverse categorie grammaticali	diritto	abbinamento parola-definizione; riconoscere sinonimi; domanda; abbinamento testi
23 *pag. 96*	**Regali** *saggio*	**4**	formazione di parole; connettivi; chi o che?	proverbio	cloze; incastro; domanda; riconoscere sinonimi

Unità	Titolo e genere testuale	Livello	Contenuti grammaticali	Contenuti lessicali	Tecniche e attività per la comprensione
24 *pag. 99*	**L'ispettore** *gioco enigmistico*	4	forme implicite ed esplicite (participio passato)	furto	domanda; riconoscere sinonimi; cloze
25 *pag. 103*	**Maschio/Femmina** *articolo di costume*	4		bene che vada…	scelta multipla; abbinamento
26 *pag. 106*	**Telecamere** *articolo di opinione*	4	sostituzione di parole; coerenza e coesione	dal dizionario: infarcire strisciante onnivoro	sintetizzare; domanda
27 *pag. 110*	**Accordo di nozze** *articolo di costume*	4		vita di coppia	incastro; sintetizzare; riconoscere sinonimi
28 *pag. 114*	**Amilcare Carruga** *racconto*	4	imperfetto congiuntivo; coerenza e coesione testuale; passato remoto/imperfetto		domanda; abbinamento testo-immagine
29 *pag. 119*	**Il congiuntivo** *e.mail*	4	congiuntivo; riflessione metalinguistica	esclamazioni	domanda

Promemoria

livello 1

Unità 1

1. *Il disegno accompagna una poesia. Secondo te di cosa parla?*

2. *Ricostruisci la poesia.*

Ci sono cose da fare ogni giorno:
lavarsi, studiare, giocare,
____
____

Ci sono cose da fare di notte:
chiudere gli occhi, dormire,
____
____

Ci sono cose da non fare mai,
né di giorno né di notte,
____
____

a mezzogiorno.

avere sogni da sognare,

né per mare né per terra:

orecchie per non sentire.

per esempio, la guerra.

preparare la tavola,

3. *Ora rileggi la poesia e cerca di capire il significato del titolo.*

Promemoria
Ci sono cose da fare ogni giorno:
lavarsi, studiare, giocare,
preparare la tavola,
a mezzogiorno.

Ci sono cose da fare di notte:
chiudere gli occhi, dormire,
avere sogni da sognare,
orecchie per non sentire.

Ci sono cose da non fare mai,
né di giorno né di notte,
né per mare né per terra:
per esempio, la guerra.

da Gianni Rodari "Il secondo libro delle filastrocche", Einaudi, 1985

"Promemoria" significa:

A

B

C

Promemoria

4. *Il gioco dell'altalena. Ascolta le istruzioni dell'insegnante (sono a pag. 126).*

A
L
notTe
A
L
E
N
A

5. *Cosa fai per ricordarti una cosa importante? Parlane con i compagni.*

6. *Insieme ai compagni fai una lista di cose da non fare mai.*

7. *Conosci questi simboli (VIVA / ABBASSO)? Si usano anche nella tua lingua?*

1. ***Separa le parole usando le barrette come nell'esempio. Fai questa attività con un compagno.***

Es.: segni/in/equilibrio/instabile	/ / /
• vogliadivaltzeralchiarodiluna	/ / / / / /
• itrepuntinisonoquidipassaggio	/ / / / / /
• quattroquadratigrandi	/ /
• unisolapienadivegetazionevistadallaereo	/ / / / / / /
• saravelenoso?	/
• giracomeunatrottolamaefermo	/ / / / / /
• insettinonbendefiniti	/ / /
• lospaziodiunsospiro	/ / / /
• segnileggerimossidalvento	/ / / /
• liniziodiunprato	/ / / /

da Bruno Munari, "Prima del disegno", Corraini Edizioni, 1996

2. ***Se vuoi, la parola negli spazi può aiutarti a verificare l'attività 1.***

__________/__________/__________/al/__________/__________/__________

__________/__________/__________/sono/__________/__________/__________

quattro/__________/__________

__________/isola/__________/__________/__________/__________/__________/__________

sara/______________?

__________/__________/__________/__________/ma/__________/__________

__________/non/__________/__________

__________/__________/__________/__________/sospiro

__________/__________/mossi/__________/__________

__________/__________/__________/__________/prato

3. ***Ti sei accorto che mancano 3 apostrofi e 2 accenti? Mettili al loro posto.***

Disegni

4. ***Ora associa i disegni ad ogni frase, come nell'esempio, poi confrontati con i compagni.***

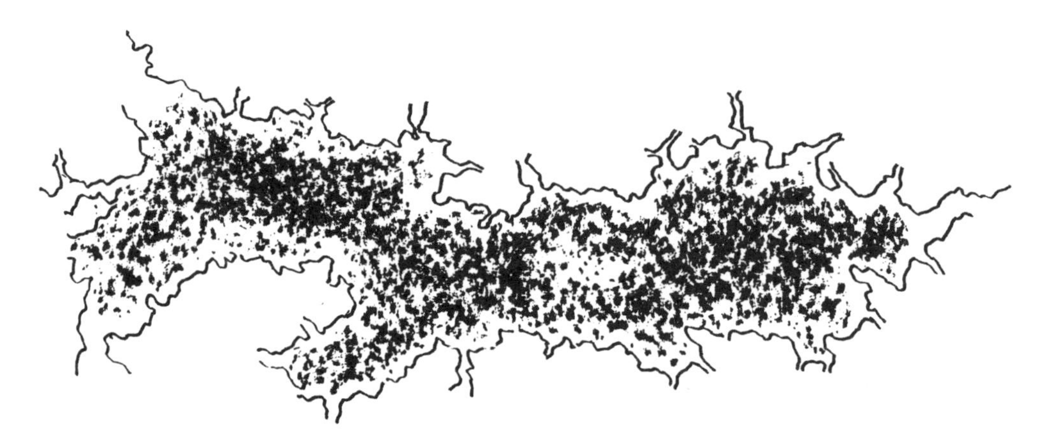

1. un'isola piena di vegetazione vista dall'aereo

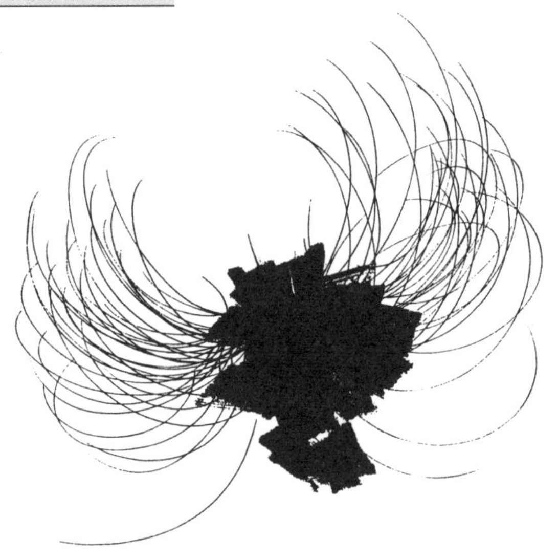

2. ______

3. ______

4. ______

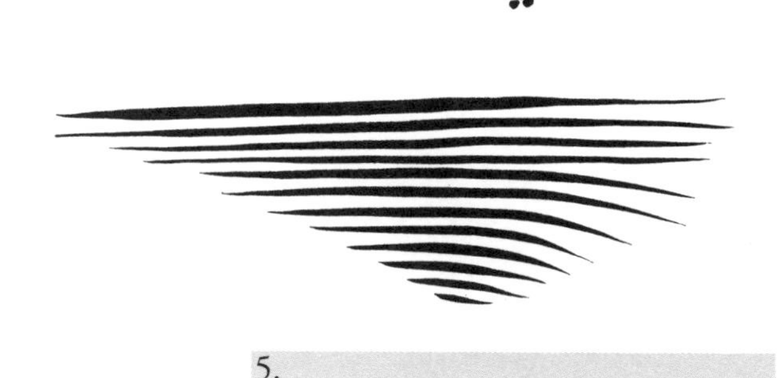

5. ______

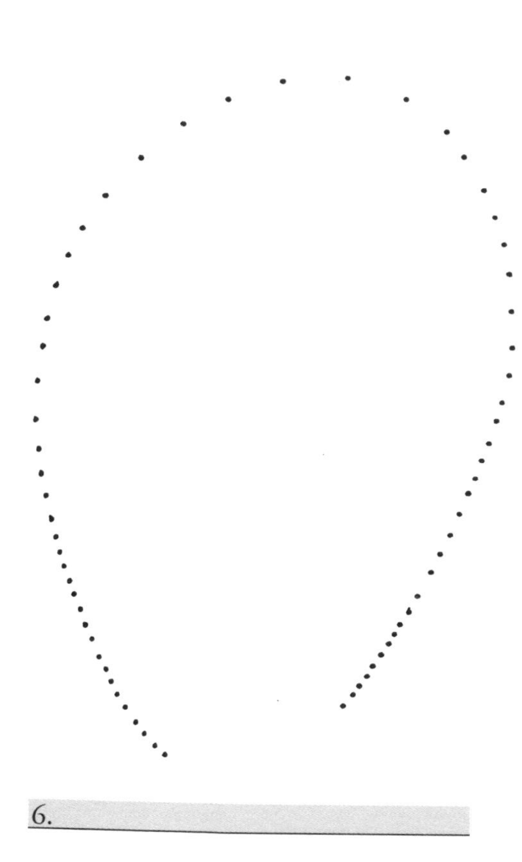

6. ______

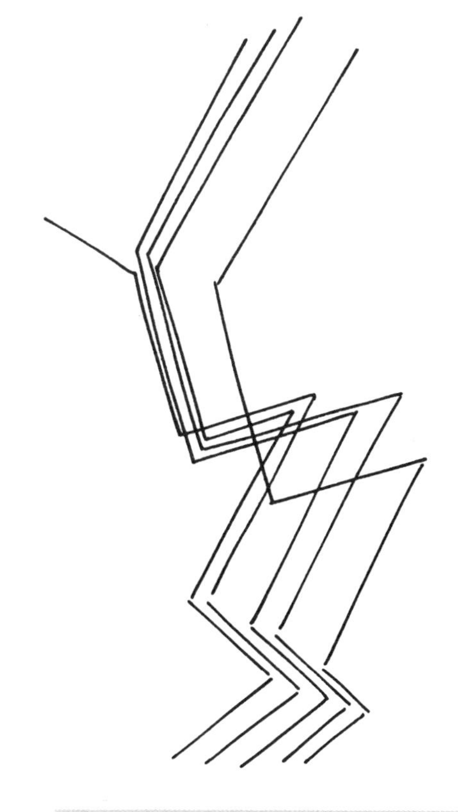

7. ______

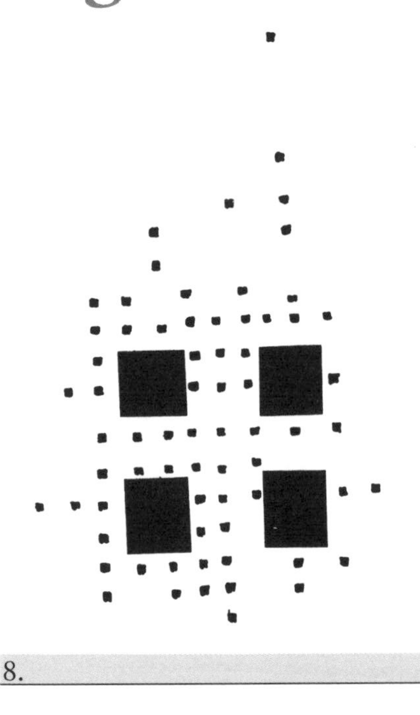

8. ____________________

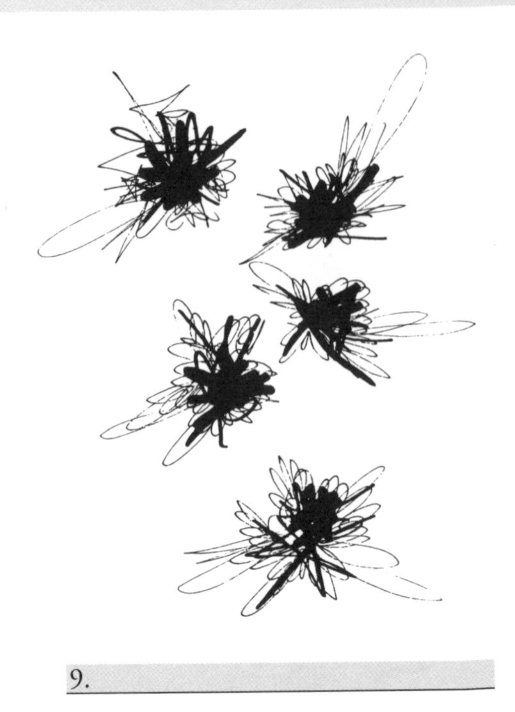

9. ____________________

10. ____________________

11. ____________________

5. ***Ora provaci tu. Fai un disegno e poi chiedi a un compagno di dargli un titolo. Se vuoi puoi raccogliere tutti i disegni e realizzare un libro.***

Altri numeri

livello 1

1. *A squadre, completate il cruciverba.*

Unità 3

Altri numeri

2. *Completa il testo con le seguenti parole, poi confrontati con un compagno.*

lunga | tonnellate | lunghezza | velocità | età | mila | corto | velocità | alti | anni | velocità | distanza | giorno

ALTRI NUMERI

205 sono i centimetri della zucchina più ____________ raccolta in provincia di Ferrara nel 1997.
112 anni e due mesi è l'____________ record raggiunta da Chelidonia Merosi Lollobrigida (prozia dell'attrice Gina) al momento della sua morte.
75 metri è la lunghezza del fiume più ____________ d'Italia: l'Aril. E nel suo breve percorso riesce anche a formare una cascata e un laghetto!
22,2 metri è la ____________ del cotechino più lungo. Pesava 5 quintali e fu cucinato il 13 agosto 1991 a Curtatone, Mantova.
13 centimetri è la differenza media tra la statura maschile e quella femminile. Gli uomini sono più ____________.
17 volte la ____________ Terra-Luna (384.400 km): tanta è la corda prodotta in un giorno a partire da 10 mila tonnellate di juta e canapa grezze.
54 ____________ di detersivo vengono prodotte ogni giorno in tutto il mondo.
8.219.000 sono le lettere spedite ogni ____________ in Italia. Una piccola parte degli 1,2 miliardi di lettere imbucate nel mondo.
125 MILA sono le parole della lingua italiana che diventano 160 ____________ contando tutti i derivati.
40 mila sono più o meno gli ____________ trascorsi da quando l'uomo ha pronunciato le prime parole.
335Km/h è la ____________ raggiunta dal rondone coda spinosa quando si butta in picchiata sulle sue prede.
48 Km/h è la ____________ che riesce a raggiungere, nonostante la mole, l'ippopotamo. L'uomo, solo con i suoi 44,6 Km/h, non avrebbe scampo.
0,1 Km/h la ____________ massima raggiunta dalla lumaca.

da Agenda 2001-Libera università d'Alcatraz

Quale di queste informazioni ti sembra più curiosa?

3. *Come si misura? Leggi il testo e riempi la tabella.*

lunghezza	peso	tempo

4. *Come si legge?*

22,2 = ventidue virgola due
48 Km/h = quarantotto chilometri all'ora

Ora prova tu.

335 Km/h= ....
1,4 km/h= ....
44,6 km/h= ....
0,1 km/h= ....

5. *La ricetta della felicità. Hai a disposizione 1000 grammi: scrivi le dosi e gli ingredienti per una vita felice. Poi parlane con un compagno.*

6. *Giochiamo a palla. Ascolta le istruzioni dell'insegnante (sono a pag. 126).*

1. *Prendi un foglio e disegna un sole. Scrivi tutte le parole che ti vengono in mente, poi confrontati con i compagni.*

2. *Ora leggi la poesia e cerca delle relazioni tra le parole dell'attività 1 e la poesia.*

Sole

Vorrei girar la Spagna
sotto un ombrello rosso

Vorrei girar l'Italia
sotto un ombrello verde

Con una barchettina,
sotto un ombrello azzurro,
vorrei passare il mare:
giungere al Partenone
sotto un ombrello rosa
cadente di viole.

da Aldo Palazzeschi, "Sole" in "La lirica d'Occidente", Ed. TEA

Unità 4

3. *Rileggi la poesia e completa il disegno con gli ombrelli.*

4. *Nella poesia c'è un verbo che significa "arrivare". Scrivilo qui sotto.*

____

Sole

5. ***La poesia è stata trasformata in simboli. Ogni simbolo corrisponde a una parola. Secondo te quali criteri sono stati usati? Fai delle ipotesi e parlane con un compagno.***

Vorrei girar la Spagna	○ + x _
sotto un ombrello rosso	: △ _ ◊
Vorrei girar l'Italia	○ + x _
sotto un ombrello verde	: △ _ ◊
Con una barchettina,	: △ _
sotto un ombrello azzurro,	: △ _ ◊
vorrei passare il mare:	○ + x _
giungere al Partenone	+ : _
sotto un ombrello rosa	: △ _ ◊
cadente di viole.	◊ : _

6. ***Ora rileggi il testo e inserisci nella tabella le parole corrispondenti ai simboli e poi scrivi sotto ogni simbolo il suo nome grammaticale.***

○	+	x	_	:	△	◊

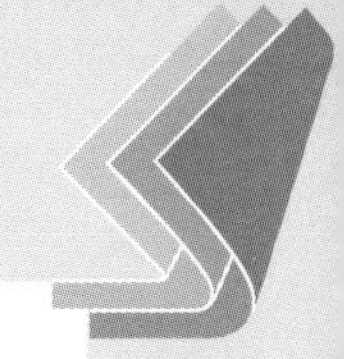

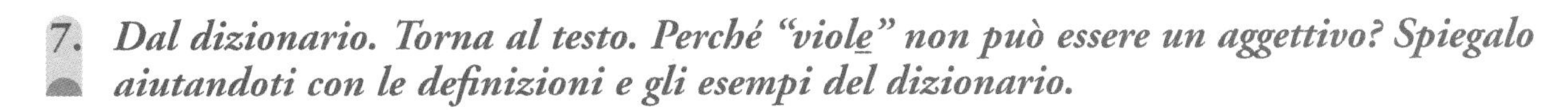

7. ***Dal dizionario. Torna al testo. Perché "viol<u>e</u>" non può essere un aggettivo? Spiegalo aiutandoti con le definizioni e gli esempi del dizionario.***

viola (vi.ò.la) **1.** s.f piccolo fiore di campo con cinque petali che può essere anche coltivato: *A Pasquetta raccogliamo tante viole. Un mazzolino di viole del pensiero.* **2.** s.m. il colore di tale fiore, fra il turchino e il rosso: *Mi ha portato un mazzo di fiori con bellissimi toni di viola.*
3. agg. inv. di colore viola: *Camicia, vestito, pantaloni viola.*

8. ***Insieme a un compagno scrivi una poesia rispettando l'ordine dei simboli dell'attività 5.***

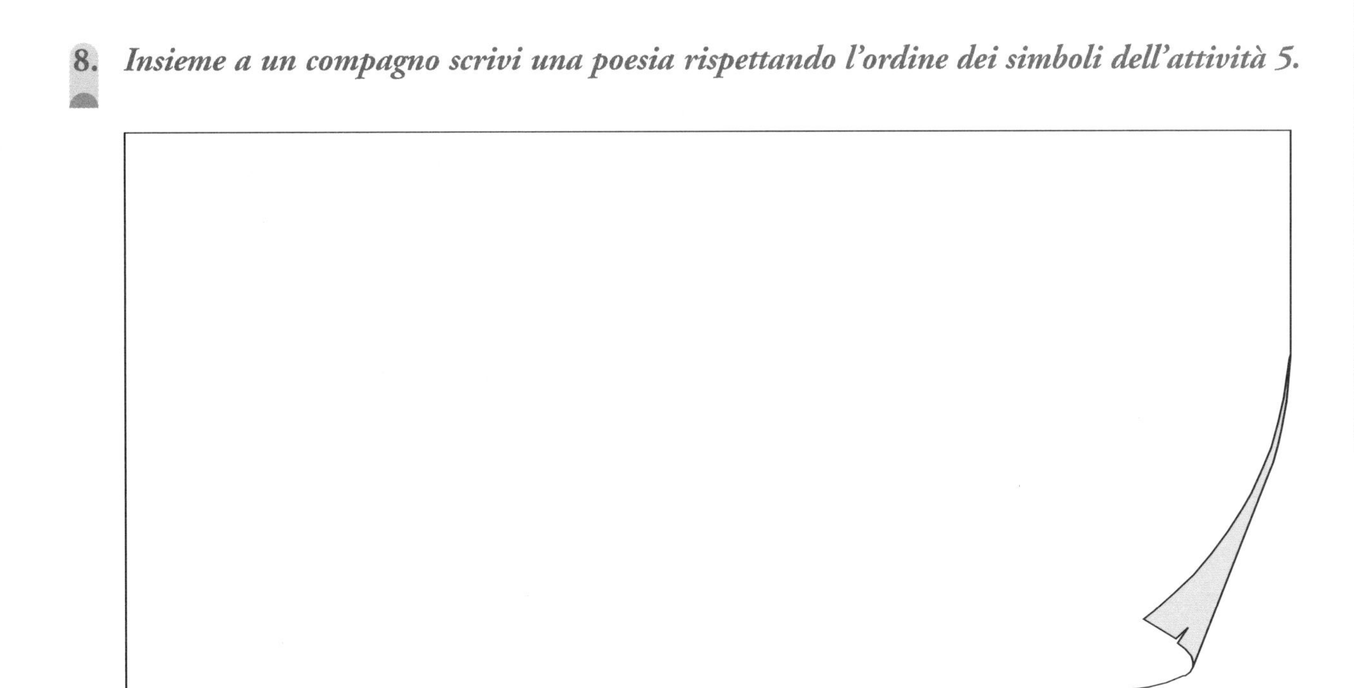

9. ***Trasforma la tua poesia in una canzone scegliendo il ritmo che vuoi. Se vuoi registrala e falla ascoltare ai tuoi compagni.***

10. ***Vai da un fiorista, osserva i fiori e chiedi il nome di quello che ti piace di più.***

11. ***Giochiamo a "Strega comanda color" (le istruzioni sono a pag. 126).***

Gli ________ giusti

livello 1

1. *Il gioco delle figure geometriche (le istruzioni sono a pag. 126).*

2. *Qual è l'intruso?*

viso | **volto** | **specchio** | **faccia**

3. *Nel testo manca la stessa parola. Qual è secondo te? Confrontati con un compagno.*

GLI ________ GIUSTI

Ne esistono di mille fogge, materiali e colori, ma non sempre è facile scegliere gli ________ da sole giusti per il proprio viso. Ecco alcuni suggerimenti per guardare l'estate "in bellezza".

■ Se hai un viso ovale cerca ________ dalla montatura semplice, sobria e tondeggiante, che si armonizzi con le forme del viso.

■ Una montatura squadrata, invece, fa al caso di un viso più rotondo: bada che gli angoli siano smussati.

■ ________ rettangolari e ovali sono quelli giusti per un viso particolarmente squadrato e angoloso. Meglio se la montatura ha gli angoli arrotondati.

■ Se hai un viso allungato, opta per le montature strette e lunghe, che allargano il volto e lo fanno apparire più corto.

■ Sulla scelta del materiale della montatura e del colore delle lenti, sciogli la tua fantasia e non farti condizionare da nessuno.

■ Non dimenticare di acquistare una catenella per tenerteli addosso quando non li usi. Soprattutto in vacanza è facilissimo dimenticarli nei posti più impensati.

*indirizzi nella categoria OTTICA

Unità 5

4. ***Rileggi questa parte del testo e scrivi i nomi sul disegno.***

Sulla scelta del materiale della montatura e del colore delle lenti, sciogli la tua fantasia e non farti condizionare da nessuno.

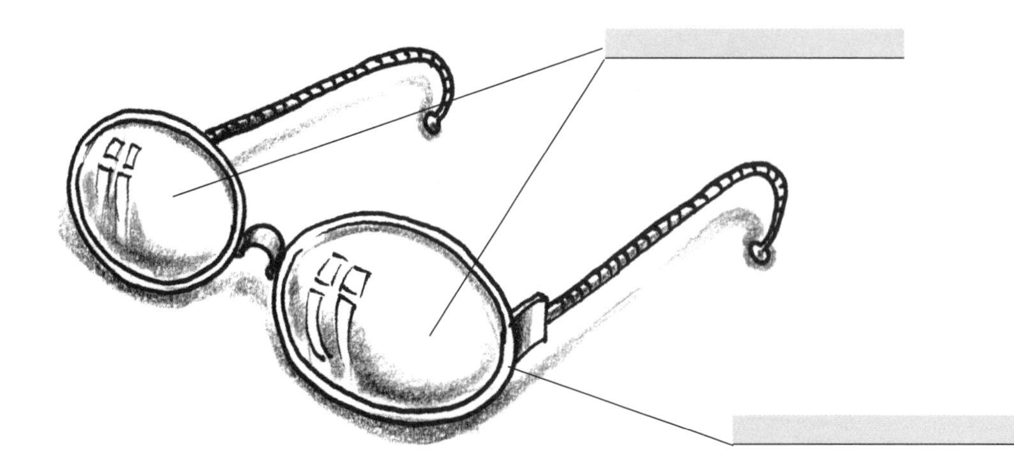

5. ***Cerca nel testo gli aggettivi che si riferiscono a:***

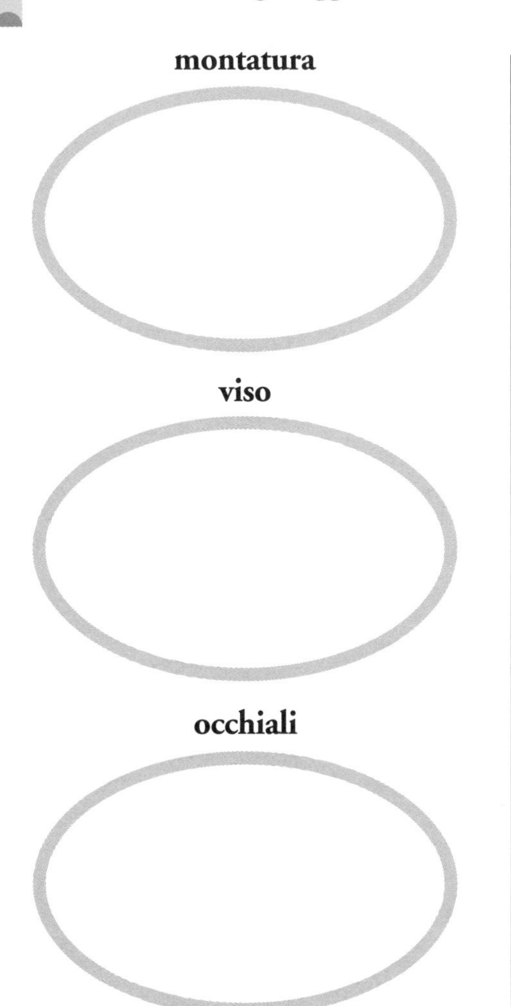

GLI OCCHIALI GIUSTI

Ne esistono di mille fogge, materiali e colori, ma non sempre è facile scegliere gli occhiali da sole giusti per il proprio viso. Ecco alcuni suggerimenti per guardare l'estate "in bellezza".

■ Se hai un viso ovale cerca occhiali dalla montatura semplice, sobria e tondeggiante, che si armonizzi con le forme del viso.

■ Una montatura squadrata, invece, fa al caso di un viso più rotondo: bada che gli angoli siano smussati.

■ Occhiali rettangolari e ovali sono quelli giusti per un viso particolarmente squadrato e angoloso. Meglio se la montatura ha gli angoli arrotondati.

■ Se hai un viso allungato, opta per le montature strette e lunghe, che allargano il volto e lo fanno apparire più corto.

■ Sulla scelta del materiale della montatura e del colore delle lenti, sciogli la tua fantasia e non farti condizionare da nessuno.

■ Non dimenticare di acquistare una catenella per tenerteli addosso quando non li usi. Soprattutto in vacanza è facilissimo dimenticarli nei posti più impensati.

*indirizzi nella categoria OTTICA

da "Donna Moderna, agenda settimanale"

Gli occhiali giusti

6. *Rileggi il testo e disegna gli occhiali giusti per questi visi.*

Unità 5

7. *Ora completa la tabella.*

maschile singolare	femminile singolare	maschile plurale	femminile plurale
ovale		ovali	
rotondo			
squadrato	squadrata		
angoloso			
allungato			
		rettangolari	
		giusti	
	semplice		
	sobria		
	tondeggiante		
			strette
			lunghe

8. ***Sei un ottico. In base al testo disegna una montatura adatta al viso e alla personalità di un compagno.***

9. ***Poesia visiva. Ascolta le istruzioni dell'insegnante (sono a pag. 126).***

capelli:

fronte:

sopracciglia:

occhi:

naso:

bocca:

orecchie:

Padri e figli

livello 1

1. ***Osserva la vignetta dell'articolo che leggerai e prova a immaginare la situazione. Poi parlane con un compagno.***

Unità 6

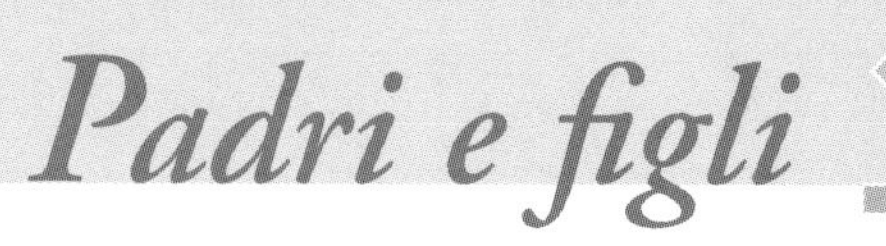

2. *Ora leggi il titolo e il primo paragrafo dell'articolo e verifica le tue ipotesi.*

Figlio chiude il padre fuori di casa "Tutte le sere fa tardi con gli amici"

OSPEDALETTI – Chiude fuori casa il padre che tutte le sere esce con gli amici, va al bar a giocare a bocce.

3. *Continua a leggere e sottolinea nel testo le frasi che hanno un significato simile a queste:*

- ❑ hanno avuto molte difficoltà
- ❑ non è d'accordo con quello che fa il padre
- ❑ non abbiamo abbastanza soldi per poterci divertire

È successo a Ospedaletti in provincia di Imperia. Chiuso fuori per due volte consecutive, la terza volta, un pensionato di 68 anni ha chiamato i carabinieri. I militari hanno faticato non poco a convincere il figlio ad aprire la porta. Il giovane, infatti, non approva il comportamento del genitore. "Gli ho voluto dare una lezione morale" ha detto. I due vivono in un appartamento in affitto. L' anziano è titolare di una pensione di invalidità ed il giovane lavora in un'impresa di pulizie. "Le spese non permettono di prendere in considerazione il capitolo 'divertimenti' ma mio padre non ha mai voluto cambiare vita. Così ho chiuso la porta di casa".

da "La Repubblica"

4. *Cerca nel testo i sostantivi che si riferiscono a:*

figlio: ____________________

padre: ____________________ ____________________ ____________________

carabinieri: ____________________

padre e figlio: ____________________

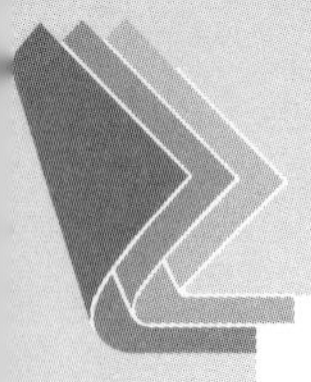

Padri e figli

5. *Completa la tabella con le parole del testo che contengono questi suoni.*

[κ]	[τʃ]

6. *Ora giochiamo a tris (le istruzioni del gioco sono a pag. 127).*

68	*A chi ha telefonato il padre?*	**Al bar**
Lavora in un'impresa di pulizie	**No**	**No, è in pensione**
Dove vivono i due?	**Il figlio**	**Tre volte**

7. *Scrivi il messaggio del figlio al padre.*

8. *Nel testo ci sono tre preposizioni sbagliate. Trovale.*

Figlio chiude il padre fuori di casa "Tutte le sere fa tardi con gli amici"

OSPEDALETTI – Chiude fuori casa il padre che tutte le sere esce con gli amici, va al bar a giocare con bocce. È successo a Ospedaletti in provincia di Imperia. Chiuso fuori per due volte consecutive, la terza volta, un pensionato per 68 anni ha chiamato i carabinieri. I militari hanno faticato non poco a convincere il figlio ad aprire la porta. Il giovane, infatti, non approva il comportamento del genitore. "Gli ho voluto dare una lezione morale" ha detto. I due vivono a un appartamento in affitto. L' anziano è titolare di una pensione di invalidità ed il giovane lavora in un'impresa di pulizie. "Le spese non permettono di prendere in considerazione il capitolo 'divertimenti' ma mio padre non ha mai voluto cambiare vita. Così ho chiuso la porta di casa".

9. *Trascrizione a distanza (le istruzioni sono a pag. 127).*

L'astronave

livello 1

Unità 7

1. *Sottolinea tutte le parole che compaiono nel disegno.**

spazio	**astronauta**	**atterraggio**	**equipaggio**	
pianeti	**Terra**	**stazione spaziale**	**atmosfera**	**missione**
navicella	**universo**	**terrestri**	**extraterrestri**	

* *nota per l'insegnante: un'attività introduttiva alternativa è proposta a pag. 127.*

2. *Ora cerca di leggere questi articoli. Basta scoprire il codice segreto. Ogni simbolo corrisponde a una parola. Le parole le trovi tra quelle dell'attività 1.*

TORNATA DALLO ◎ LA SOYUZ CON A BORDO VITTORI E IL TURISTA SPAZIALE

ARKLAY (Kazakistan) - La capsula della Soyuz TM con a bordo l' ⭘ italiano Roberto Vittori, il cosmonauta russo Yuri Gidzenko e il turista spaziale sudafricano Mark Shuttleworth è atterrata ieri senza problemi nella steppa vicino a Arklay, città del Kazakistan nord orientale.
L'equipaggio della Soyuz è tornato sulla ✲ dopo aver trascorso 8 giorni sulla ⊡ Internazionale.
Mark Shuttleworth è il secondo turista dello ◎ della storia: un milionario di 28 anni che ha pagato più di 20 milioni di dollari per il viaggio.
Una volta entrata nell'atmosfera, la capsula di ⇩ ha abbandonato il modulo centrale e si è posata con dolcezza, frenata da un paracadute.

da "CityMilano"

Roberto Vittori sulla Soyuz. In basso, l' ⇩

L' ⭘ : c'è vita nell' 〰
Vittori è tornato sulla ✲

MOSCA- "Un'esperienza gratificante. Sono pronto a ripartire". Sono queste le prime parole di Roberto Vittori, il secondo ⭘ italiano nello ◎ di ritorno ieri dalla missione sulla ⊡ Internazionale a bordo della navicella Soyuz, partita lo scorso 25 aprile. "Credo in un'altra forma di vita nell' 〰", ha aggiunto l' ⭘.
Ad aspettare Vittori a Mosca c'era la moglie Valeria, insieme ai loro due bambini. Anche il presidente della Repubblica, Carlo Azeglio Ciampi ha inviato all' ⭘ un messaggio di felicitazioni.

da "Leggo"

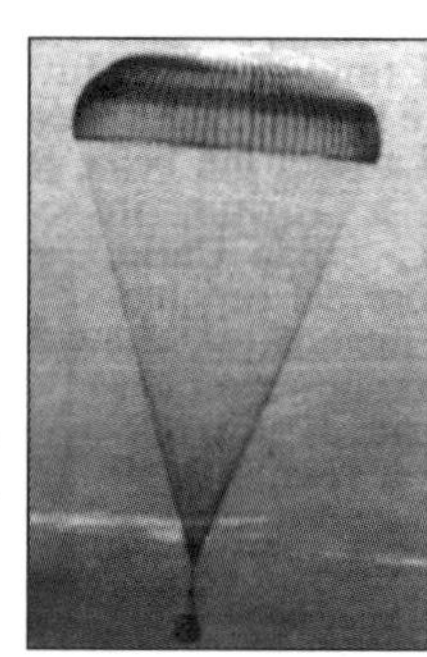

◎ = ...

⭘ = ...

✲ = ...

⊡ = ...

⇩ = ...

〰 = ...

3. *Prova a confrontare i due testi. Quale contiene più informazioni secondo te?*

4. *Quale dei due articoli contiene queste informazioni su Roberto Vittori? Metti una X nel riquadro corrispondente, come nell'esempio.*

	con chi è andato nello spazio	**dove è atterrato**	**quando è partito**	**chi lo aspettava al suo ritorno**	**quanto tempo è stato nello spazio**
testo A	X				
testo B					

5. *Cerca nel testo A gli aggettivi di nazionalità che si riferiscono a questi nomi. Sono maschili o femminili? Da cosa lo capisci?*

astronauta ____________

cosmonauta ____________

turista ____________

Conosci altri nomi maschili singolari che finiscono in -a?

6. *Completa il testo con i verbi al passato prossimo. I verbi sono in ordine.*

atterrare **tornare** **pagare** **abbandonare** **posarsi**

Tornata dallo spazio la Soyuz con a bordo Vittori e il turista spaziale

ARKLAY (Kazakistan) - La capsula della Soyuz TM con a bordo l'astronauta italiano Roberto Vittori, il cosmonauta russo Yuri Gidzenko e il turista spaziale sudafricano Mark Shuttleworth ____________ ieri senza problemi nella steppa vicino a Arklay, città del Kazakistan nord orientale. L'equipaggio della Soyuz ____________ sulla Terra dopo aver trascorso 8 giorni sulla Stazione Spaziale Internazionale. Mark Shuttleworth è il secondo turista dello spazio della storia: un milionario di 28 anni che ____________ più di 20 milioni di dollari per il viaggio. Una volta entrata nell'atmosfera, la capsula di atterraggio ____________ il modulo centrale e ____________ con dolcezza, frenata da un paracadute.

7. *Sei un astronauta della Soyuz. Decidi di portare nello spazio 5 immagini per descrivere la Terra agli extraterrestri. Sceglile e confrontati con i compagni.*

8. *Sei in una situazione di pericolo. Manda un SOS dallo spazio.*

Il ____________

livello 2

1. *In queste pubblicità manca la stessa parola. Qual è secondo te?*

A

Il ______ per me.

Il __________ sono date,
appuntamenti, scadenze;
è l'unico patrimonio
che si spende,
ma non si ricompra.
Il __________ è la misura
dei sentimenti:
un attimo nel piacere,
un secolo nel dolore,
un'eternità nella noia.

ANTONELLA MERLONI
Imprenditrice

B

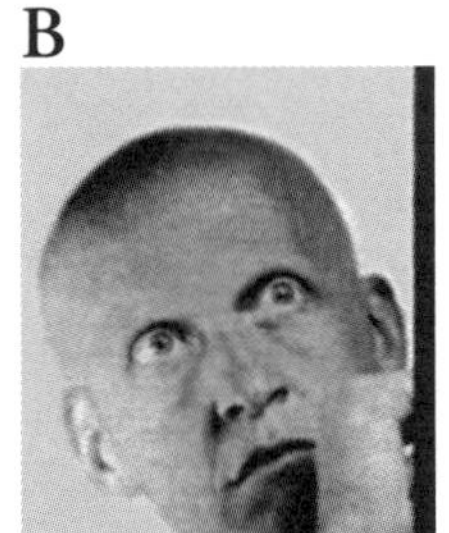

Il ______ per me.

Le ore spese per allenarmi
e preparare al meglio
una partita.
I minuti di corsa in campo
per non perdere l'azione.
Il secondo per prendere
una decisione,
anche la più difficile.
Questo è il mio __________.

PIERLUIGI COLLINA
Arbitro e consulente finanziario

C

Il ______ per me.

...ZZZZZZZZZZ,
Ronf Ronf, Tic Tac, Tic Tac,
Tic Tac,Driiiin
Driiiiiiiiiiiiiin, Click,
Tic Tac, Cu cù, Cu cù,
Tic Tac, Don, Don, Don,
Don, Tic Tac, Tic Tac,
Uuuuuaaaaaaaa!!!!!!
Tic Tac, Cu cù, Tic Tac,
ZZZZZZZZZZ, Ronf Ronf.
I rumori del __________
mi dicono che il __________ è vita.
Viviamoli bene,
viviamoli tutti,
quelli belli
e quelli brutti.

INTERVISTA

MAURIZIO NICHETTI
Regista

da Pubblicità Lorenz - Agenzia Marani

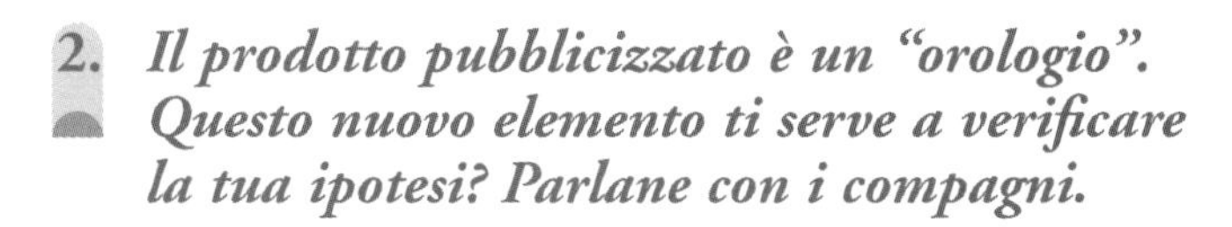

2. ***Il prodotto pubblicizzato è un "orologio". Questo nuovo elemento ti serve a verificare la tua ipotesi? Parlane con i compagni.***

Il _____ per me.

...ZZZZZZZZZZ,
Ronf Ronf, Tic Tac, Tic Tac,
Tic Tac,Driiiin
Driiiiiiiiiiiiiin, Click,
Tic Tac, Cu cù, Cu cù,
Tic Tac, Don, Don, Don,
Don, Tic Tac, Tic Tac,
Uuuuuaaaaaaaa!!!!!!
Tic Tac, Cu cù, Tic Tac,
ZZZZZZZZZZ, Ronf Ronf.
I rumori del _________
mi dicono che il _________ è vita.
Viviamoli bene,
viviamoli tutti,
quelli belli
e quelli brutti.

INTERVISTA

MAURIZIO NICHETTI
Regista

LORENZ
il tempo sulla pelle

Il _____ per me.

Il _________ sono date,
appuntamenti, scadenze;
è l'unico patrimonio
che si spende,
ma non si ricompra.
Il _________ è la misura
dei sentimenti:
un attimo nel piacere,
un secolo nel dolore,
un'eternità nella noia.

INTERVISTA

ANTONELLA MERLONI
Imprenditrice

LORENZ
il tempo sulla pelle

Il _____ per me.

Le ore spese per allenarmi
e preparare al meglio
una partita.
I minuti di corsa in campo
per non perdere l'azione.
Il secondo per prendere
una decisione,
anche la più difficile.
Questo è il mio _________.

INTERVISTA

PIERLUIGI COLLINA
Arbitro e consulente finanziario

Il tempo

3. *Rileggi i testi, guarda le fotografie e pensa a degli aggettivi adatti a descrivere il carattere di queste persone. Puoi scegliere tra gli aggettivi qui sotto. Poi parlane con un compagno.*

noioso **attivo** **passionale** **disordinato** **preciso** **socievole** **triste** **pigro**

divertente **allegro** **freddo** **chiuso** ....

4. *Cerca nei testi A e B le parole che servono a misurare il tempo e scrivile sulle linee.*

________ ________ ________ ________ ________ ________

Ne conosci altre? Aggiungile a quelle che hai trovato nel testo e mettile in ordine.

____

____

____

____

____

____

____

____

5. *Scrivi nel disegno i rumori presenti nel testo C.*

E nella tua lingua, ci sono delle parole che indicano gli stessi rumori? Parlane con i compagni.

6. ***In coppia con un compagno, disegna un quadrante con le ore e incolla le immagini portate dall'insegnante in corrispondenza dei diversi momenti della giornata (le istruzioni sono a pag. 127).***

7. ***Ora crea la tua pubblicità. Scrivi il testo, incolla una foto, disegna l'orologio e scrivi la didascalia.***

8. *Leggi il testo B e scrivi le parole che corrispondono alle definizioni grammaticali.*

preposizione + articolo ____________________

infinito + pronome ____________________

aggettivo femminile singolare ____________________

aggettivo possessivo ____________________

articolo indeterminativo ____________________

9. *Questa è una storia raccontata usando solo i rumori. Di che cosa parla secondo te?*

DRINN... DRINN... DRINN...	BLA BLA BLA BLA BLA BLA BLA BLA BLA BLA BLA BLA BLA BLA BLA BLA BLA BLA BLA BLA BLA BLA	CLIC.

Adesso prova a scriverne una tu.

1. *Abbina al testo il titolo che ti sembra più appropriato.*

info / psiche lei di silvia vegetti finzi

DOCENTE DI PSICOLOGIA DINAMICA ALL'UNIVERSITÀ DI PAVIA

FOTO DI PAOLA MATTIOLI

«il mio problema sono i ritagli di riviste e quotidiani: ne accumulo ovunque e non trovo mai il coraggio di buttarli via. In casa e al lavoro (ho un piccolo negozio) sono circondata da montagne di giornali vecchi e nuovi ancora interi, oppure smembrati in una moltitudine di ricette di cucina che vorrei provare un giorno o l'altro, reportage di viaggi che mi piacerebbe ripercorrere, articoli sugli animali che mi commuovono nel profondo... Di tanto in tanto, penso di liberarmi di tutta questa carta straccia, ma poi ricomincio ad accumularla. Sono a un passo dalla follia?».

Tricia, Verona

Una vita tra casa e lavoro

Animali, che passione!

Sommersi dalla carta

IL PIACERE DI LEGGERE

da "Corriere della sera, Io donna"

2. ***Cerca nel testo tutte le cose fatte di carta e fai una lista.***

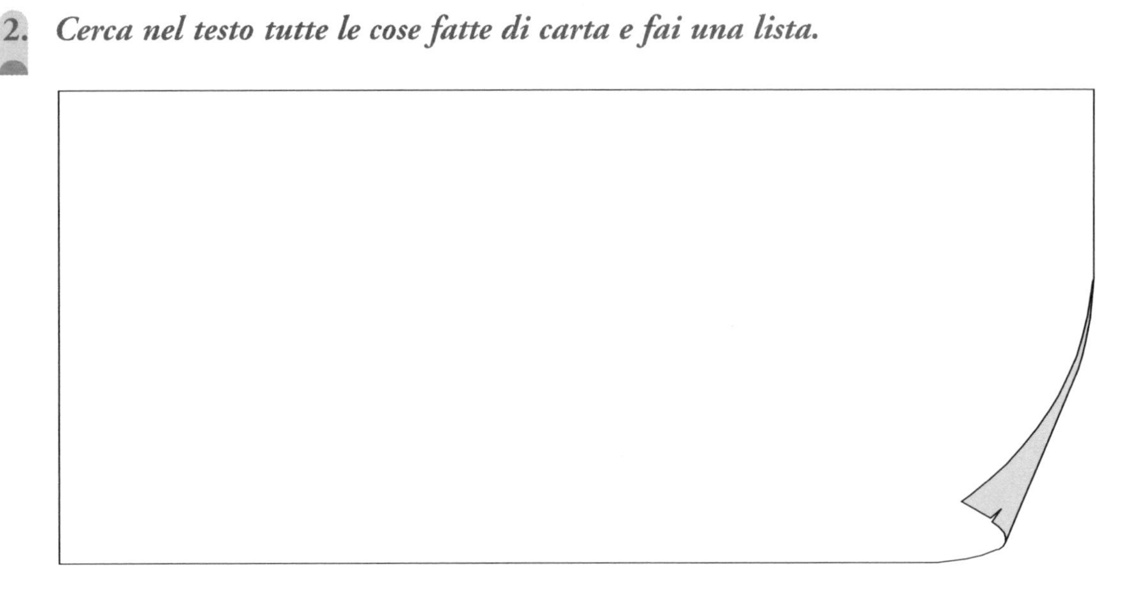

3. ***Leggi le definizioni. Che cos'hanno in comune queste tre parole?***

accumulare (ac.cu.mu.la.re) v. 1 con. reg. **1** tr. raccogliere, radunare in grande quantità: *Pensa soltanto ad accumulare denaro.*

montagna (mon.ta.gna) s.f. **1** monte: Il Monte Bianco è la montagna più alta d'Europa.
2 in senso figurato, grande quantità: *Questa settimana ho una montagna di impegni.*

moltitudine (mol.ti.tù.di.ne) s.f. gran quantità, gran numero di cose, persone o animali: *Sulla spiaggia c'era una moltitudine di persone.*

4. ***CONTRARI: grande ↔ piccolo***
Nella frase A "buttare via" è il contrario di "accumulare". Cerca nella frase B un verbo che ha lo stesso significato di "buttare via".

A Il mio problema sono i ritagli di riviste e quotidiani: ne *accumulo* ovunque e non trovo mai il coraggio di *buttarli via.*

accumulare ↔ buttare via

B Di tanto in tanto, penso di liberarmi di tutta questa carta straccia, ma poi ricomincio ad accumularla.

accumulare ↔ ____________

5. *Scrivi a che cosa si riferiscono i pronomi evidenziati.*

«Il mio problema sono i ritagli di riviste e quotidiani: (ne) accumulo ovunque e non trovo mai il coraggio di buttar(li) via. In casa e al lavoro (ho un piccolo negozio) sono circondata da montagne di giornali vecchi e nuovi ancora interi, oppure smembrati in una moltitudine di ricette di cucina che vorrei provare un giorno o l'altro, reportage di viaggi che (mi) piacerebbe ripercorrere, articoli sugli animali che mi commuovono nel profondo... Di tanto in tanto, penso di liberarmi di tutta questa carta straccia, ma poi ricomincio ad accumular(la). Sono a un passo dalla follia?».

Tricia, Verona

____

____

____

____

6. *E tu? Stai facendo ordine tra le tue cose. In un cassetto trovi...*

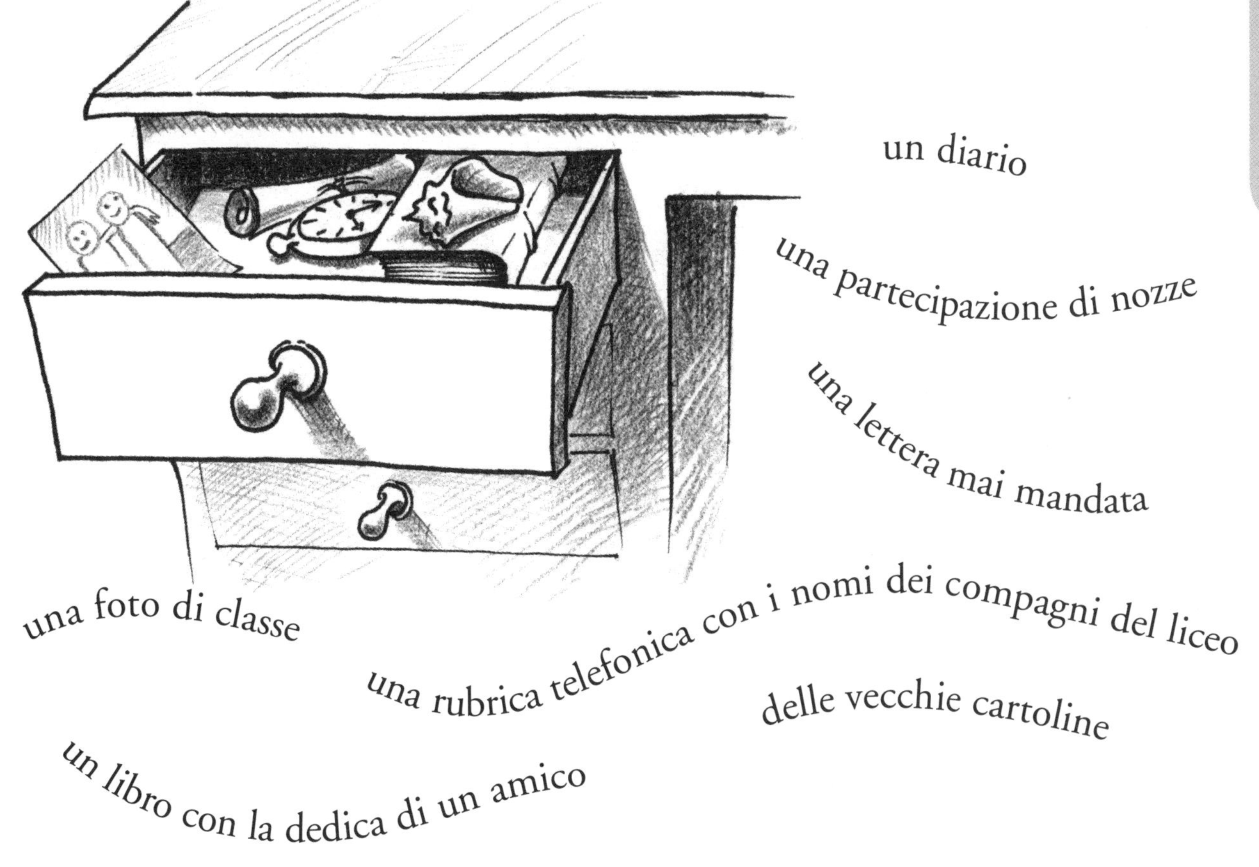

... che cosa non butteresti mai via? Parlane con un compagno.

La cresta

livello 2

1. ***Leggi il testo. Quale, tra i personaggi delle foto, racconta la storia secondo te? Da cosa dipende la tua scelta? Parlane con un compagno.***

La settimana scorsa ho dovuto tagliare la cresta. L'ho dovuto fare perché sto cercando lavoro, e nei posti ci può stare pure un annuncio grosso così "cerchiamo cinquanta persone", ma quando mi vedevano arrivare con la cresta dicevano "no, siamo al completo". Tagliarla mi ha dato fastidio, certo, ma il fatto che loro non capiscono è che con o senza cresta io resto io. L'essenza del punk, almeno per come la vedo io, è legata all'anarchia, e quindi all'idea che la mia libertà finisce dove comincia la tua, e viceversa. Purtroppo avere i capelli in un certo modo o vestirti preciso diventa un'esigenza quando ti rendi conto che le porte ti vengono chiuse in faccia solo per come sei vestito. La gente ti vede così e comincia "ladro, drogato, stupratore!": quando vai in giro senti gli occhi della gente addosso. Adesso però voglio trovare a ogni costo lavoro per mettere da parte i soldi e andare a Londra o Amsterdam. Forse Amsterdam, perché Londra non è più punk come una volta, almeno così mi hanno detto perché non ci sono mai stato.

da C. Antonelli, M. Delogu, F. De Luca "Fuori tutti", Ed. Einaudi, 1996

1

2

3

2. *Nel testo la parola è ripetuta tre volte. Trovala.*

____

3. *Sostituisci le espressioni evidenziate nel testo con le seguenti:*

capisci
che tutti ti guardano
le persone non ti accettano
mi è dispiaciuto
secondo me

La settimana scorsa ho dovuto tagliare la cresta. L'ho dovuto fare perché sto cercando lavoro, e nei posti ci può stare pure un annuncio grosso così "cerchiamo cinquanta persone", ma quando mi vedevano arrivare con la cresta dicevano "no, siamo al completo". Tagliarla mi ha dato fastidio, certo, ma il fatto che loro non capiscono è che con o senza cresta io resto io. L'essenza del punk, almeno per come la vedo io, è legata all'anarchia, e quindi all'idea che la mia libertà finisce dove comincia la tua, e viceversa. Purtroppo avere i capelli in un certo modo o vestirti preciso diventa un'esigenza quando ti rendi conto che le porte ti vengono chiuse in faccia solo per come sei vestito. La gente ti vede così e comincia "ladro, drogato, stupratore!": quando vai in giro senti gli occhi della gente addosso. Adesso però voglio trovare a ogni costo lavoro per mettere da parte i soldi e andare a Londra o Amsterdam. Forse Amsterdam, perché Londra non è più punk come una volta, almeno così mi hanno detto perché non ci sono mai stato.

La cresta

4. ***Rileggi e prova a spiegare chi sono loro.***

"Tagliarla mi ha dato fastidio, certo, ma il fatto che loro non capiscono è che con o senza cresta io resto io".

5. ***L'abito non fa il monaco... Cosa ne pensi? Parlane con i compagni.***

6. ***E il ragazzo, secondo te, cosa ne pensa? Rileggi il testo e parlane con un compagno.***

7. ***Il testo criptato.***
Ti ricordi bene il testo che hai letto? Ascolta le istruzioni dell'insegnante (sono a pag. 127) e indovina le parole nascoste.

1 ______________________

2 ______________________

3 ______________________

4 ______________________

5 ______________________

6 ______________________

7 ______________________

8 ______________________

9 ______________________

10 ______________________

11 ______________________

La paghetta

livello 2

1. ***Il disegno qui sotto illustra un articolo di un giornale. Qual è, secondo te, il contenuto dell'articolo?***

2. *Ora leggi l'articolo e verifica le tue ipotesi.*

Gran Bretagna, a Newcastle: 125 euro a trimestre per chi è bravo e limita le assenze

Arriva la "paghetta" per lo studente modello

1 **LONDRA** – In una scuola di Newcastle upon Tyne gli studenti hanno un incentivo in più: incassano un ricco "premio di produzione", 80 sterline a trimestre, circa 125 euro, se si 5 applicano e rigano dritto. "Si tratta di un mucchio di soldi e c'è una grossa gara per gli assegni", dice Carol McAlpine, preside della Firfield Community School. La trovata sta infatti andando alla grande e dal prossimo 10 anno il governo Blair potrebbe estenderla ad altre scuole del reame. Per la conquista della paghetta bisogna frequentare almeno il 90 per cento delle lezioni, rispettare certi "target" in condotta e studio, spendere almeno mezza giornata alla settimana in esperienze di lavoro 15 presso società di Newcastle. Al momento l'esperimento è limitato agli alunni dell'Year 11, di 15 o 16 anni. Lo scorso dicembre, quando è finito il primo trimestre, 34 dei 70 studenti coinvolti nell'iniziativa hanno 20 riscosso le prime 80 sterline. Un grosso successo, se si pensa che la Firfield Community School si trova in una delle aree più povere di Newcastle ed ha alle spalle un passato disastroso. All'inizio degli Anni 25 Novanta fu addirittura chiusa per un triennio perché gli ispettori scolastici ne riscontrarono lo sfascio totale.

da "La Repubblica"

3. *Cerca nel testo le parole che si riferiscono a:*

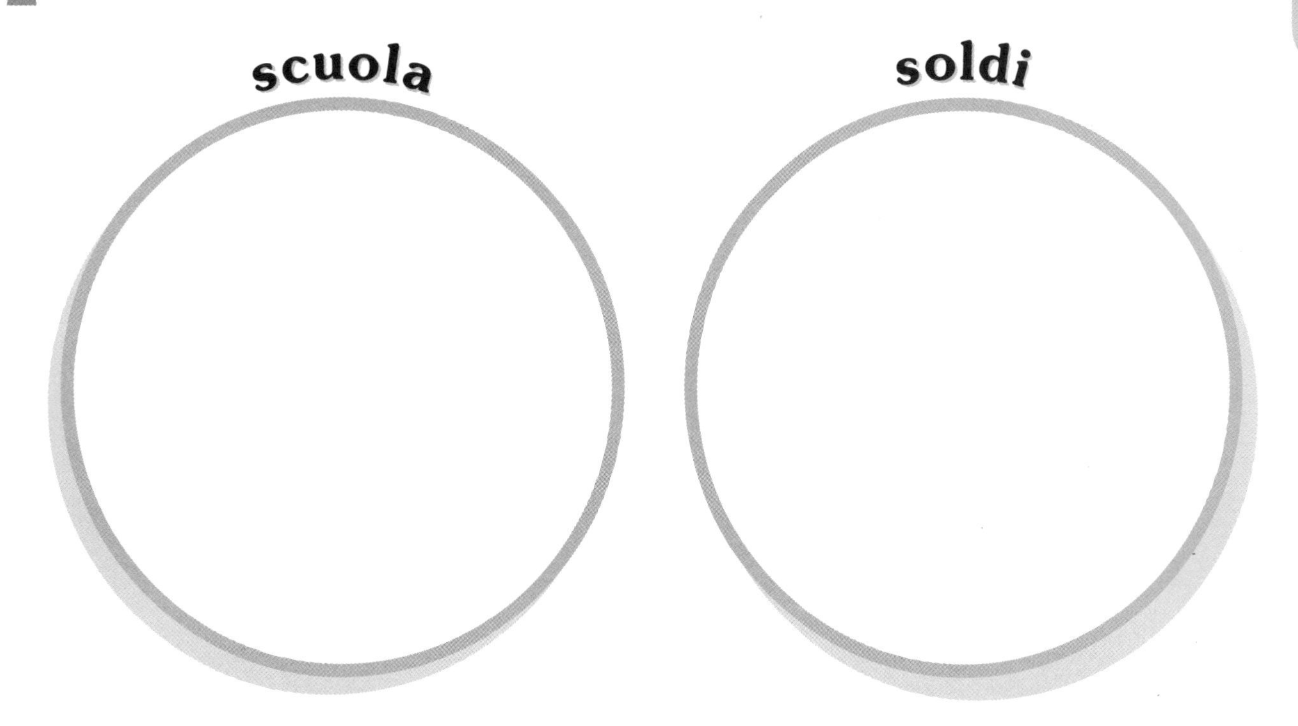

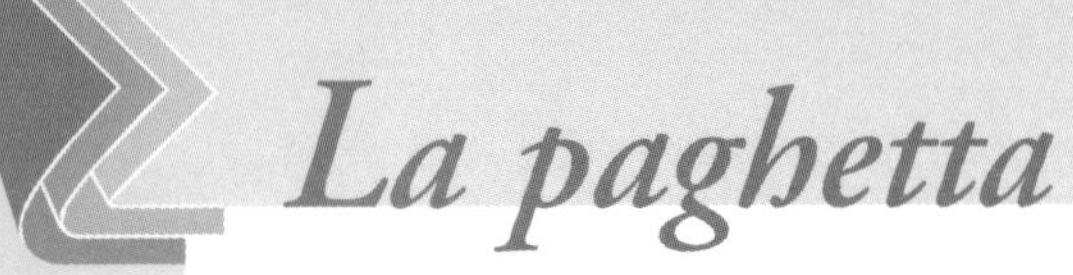

La paghetta

4. ***Che cosa significano queste parole / espressioni? Metti una crocetta (X) sul significato che ti sembra più appropriato.***

incassano (r. 3)	❏ prendono	❏ pagano
rigano dritto (r. 5)	❏ si comportano bene	❏ si comportano male
un mucchio di soldi (r. 5-6)	❏ pochi soldi	❏ molti soldi
sta andando alla grande (r. 8-9)	❏ sta avendo successo	❏ non sta avendo successo
alle spalle (r. 24)	❏ dietro	❏ davanti
disastroso (r. 25)	❏ molto brutto	❏ molto bello

5. ***Rileggi il testo e scrivi le domande corrispondenti.***

a. 80 sterline a trimestre (r. 3-4)
b. circa 125 euro (r. 4)
c. il 90 per cento (r. 12-13)
d. 15 o 16 anni (r. 18)
e. 34 (r. 19)

a. ....

b. ....

c. ....

d. ....

e. ....

6. ***"Paghetta sì, paghetta no". Ascolta le istruzioni dell'insegnante (sono a pag. 127).***

Unità 11

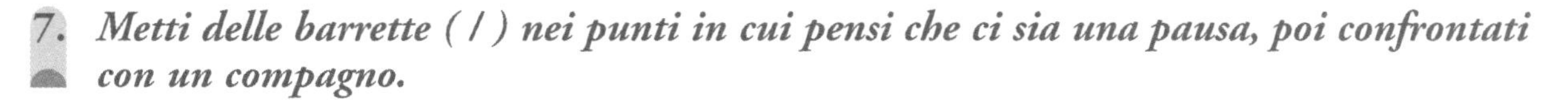

7. ***Metti delle barrette (/) nei punti in cui pensi che ci sia una pausa, poi confrontati con un compagno.***

/	per le pause deboli
//	per le pause forti

In una scuola di Newcastle upon Tyne gli studenti hanno un incentivo in più incassano un ricco premio di produzione 80 sterline a trimestre circa 125 euro se si applicano e rigano dritto si tratta di un mucchio di soldi e c'è una grossa gara per gli assegni dice Carol McAlpine preside della Firfield Community School la trovata sta infatti andando alla grande e dal prossimo anno il governo Blair potrebbe estenderla ad altre scuole del reame per la conquista della paghetta bisogna frequentare almeno il 90 per cento delle lezioni rispettare certi in condotta e studio spendere almeno mezza giornata alla settimana in esperienze di lavoro presso società di Newcastle

8. ***Ora sostituisci le barrette con i segni di punteggiatura che sono nel riquadro. Poi parlane in classe.***

.	punto
,	virgola
:	due punti
" "	virgolette

9. ***E tu, eri uno studente modello? Immagina di essere il professore di te stesso e scrivi il giudizio.***

VALUTAZIONE FINALE

____

Firma degli insegnanti di classe

Firma di uno dei genitori o di chi ne fa le veci

(**) Aspetti da considerare
- Alfabetizzazione culturale come acquisizione di abilità operative e modalità d'indagine, padronanza di conoscenze e linguaggi, sviluppo di competenze comunicative ed espressive;
- Autonomia personale come maturazione dell'identità, senso di responsabilità, atteggiamento di fronte a problemi e pensiero critico;
- Partecipazione alla convivenza democrata come disponibilità relazionale, consapevolezza dei rapporti sociali, impegno a capire, progettare ed operare costruttivamente.

La dolce vita

livello 2

1. ***I simboli qui sotto sono tratti da Urban, un mensile che parla di costume e tempo libero. Secondo te a cosa si possono riferire?***

PRO E CONTRO

 **AFFOLLATO**
Beh, tutti qui stasera?

 **ETNICO**
Qui nessuno è straniero

 **FLIRT**
Uno ci spera sempre /1

 **GAY**
Uno ci spera sempre /2

 **ROMANTICO**
Due cuori e un tavolino

 **VEGETARIANO**
Il silenzio delle zucchine

 **VIP**
C'era questo, c'era quello...

2. ***Ora leggi la descrizione di questi ristoranti e di' dove ti piacerebbe andare.***

Taj Mahal

v. Porro Lambertenghi 23; 0269000245; lun. chiuso; Gioia Isola Maciachini

Piccolo e raffinato, arredi dal gusto decisamente kitsch. Perfetto per le cene a due: luci basse soffuse, tavoli piccoli, ambiente raccolto. Ampia scelta di cucina indiana. Da capogiro le specialità cotte al tandoor (tipico forno indiano) speziate secondo tradizione, fragranti e di cottura perfetta. Dal naan al chapatie al korma (carni marinate allo yogurt mandorle e spezie) davvero imperdibile. Sui 50/55 euro.

da "Milano Pass 2002"

Dongiò

025511372

Se tra le vostre ambizioni c'è una tranquilla cena a lume di candela... avete sbagliato indirizzo. La trattoria è costantemente presa d'assalto (prenotate gente, prenotate), ma tanta folla si spiega con le ottime (e abbondanti) paste fatte in casa, il caciocavallo a pioggia, la burrata, le verdure e i dolci artigianali. Trattoria familiare calabrese oriented con prezzi onesti e servizio gentile. Mica poco. Via Corio 3. Chiuso sabato a pranzo e domenica.

da "Milano Pass 1998"

Al vecchio porco

Via Messina 8; tel. 02313862; dom. a mezzogiorno e lun. chiuso; CC: le principali; zona: Fiera-Sempione-Sarpi

Ristorante-pizzeria frequentato dal mondo dello spettacolo e dello sport. Si mangia nelle sale tappezzate da foto e quadri che ritraggono rosei suini o nella veranda estiva. Si può riservare per una serata la piccola taverna. Gradita la prenotazione. Prezzo medio 30 euro.

da "Urban"

La dolce vita

3. *Ora rileggi i tre testi e scegli il simbolo o i simboli dell'attività 1 che ti sembrano più appropriati per definire i tre ristoranti.*

4. *Completa la tabella.*

	espressione del testo	significato
Taj Mahal	....	molto
	....	luogo intimo
	....	così buone da far girare la testa
	....	che non si può perdere
Dongiò	....	luce
	....	ristorante
	....	è sempre frequentata da tanta gente
	....	molte persone
	....	fatti in casa
Al vecchio porco	....	maiali
	....	terrazza chiusa

5. *Cerca nei tre testi gli aggettivi che si riferiscono al cibo e scrivili qui sotto.*

6. *Guarda la vignetta. Nel testo B (Dongiò) c'è un'espressione simile. Cerca di spiegare il significato di "mica".*

7. *Scrivi la recensione di un ristorante che ti piace.*

8. *Cose da fare e da non fare a tavola. Insieme a un compagno spiega quali sono le regole dell'etichetta nel tuo paese.*

9. *Insieme ai tuoi compagni inventa dei simboli per……*

un parco		un grande magazzino
una libreria	la tua scuola	casa tua
	______________	

10. *Completa con l'ultima vocale.*

Taj Mahal
v. Porro Lambertenghi 23; 0269000245; lun. chiuso; Gioia Isola Maciachini

Piccol__ e raffinat__, arredi dal gusto decisamente kitsch. Perfett__ per le cene a due: luci bass__ soffus__, tavoli piccol__, ambiente raccolt__. Ampi__ scelta di cucina indian__. Da capogiro le specialità cott__ al tandoor (tipic__ forno indian__) speziat__ secondo tradizione, fragrant__ e di cottura perfett__. Dal naan al chapatie al korma (carni marinat__ allo yogurt mandorle e spezie) davvero imperdibil__. Sui 50/55 euro.

Se la tazza

livello 2

1. *Dettato poetico. Ascolta le istruzioni dell'insegnante (sono a pag. 128).*

2. *Leggi la poesia e trova delle relazioni tra le parole dell'insieme. Poi confrontati con un compagno.*

Se la tazza...

Se la tazza mi darai
che mi piace la mia tazza
con il manico marrone,
gentilissima ragazza,
tu felice mi farai.

Il suo manico ha il colore
del più vivo e ricco tè
ma riflette anche il turchino
del leggero cielo se
è leggero come te.

Franco Fortini, "La tazza" in "Composita solvantur, sette canzonette del golfo", Ed. Einaudi, 1994

gentilissima **tu** **manico**
tè **tazza** **cielo**
io **ragazza** **felice**
marrone **turchino**
leggero **mi piace**

Unità 13

3. ***Il gioco delle doppie. Ascolta le istruzioni dell'insegnante (sono a pag. 128).***

4. ***Il gioco delle parole cancellate. Ascolta le istruzioni dell'insegnante (sono a pag. 128).***

5. ***Disegna una tazza e scrivici sopra un pensiero per iniziare bene la giornata.***

6. ***Un caffè lo prenderei con… Pensa a un personaggio famoso e racconta a un compagno chi sceglieresti e perché.***

1. *Ricostruisci il racconto.*

1 ____

2 __**A**__

3 ____

A A un certo punto, nel silenzio dell'appartamento, irrompe la cicala del citofono.

B Claudio fa un respiro profondo, si toglie la macchina da scrivere dalle ginocchia, la poggia per terra e va a rispondere. Spinge sul pulsante un paio di volte, e contemporaneamente apre la porta. Mentre dal pianerottolo arrivano dei passi affrettati per le scale, Claudio si avvicina al letto e apre il cassetto del comodino. Tira fuori una boccettina di vetro, svita il tappo, toglie il contagocce e comincia a bere a piccoli sorsi. Tempo alcuni secondi e rimette il contagocce nella boccetta, riavvita il tappo e la ripone nel cassetto del comodino. Deglutisce, tossisce, poi corre a sedersi di nuovo dietro la scrivania. Recupera la Lettera 22 e se la piazza sulle ginocchia. Nel momento in cui sta infilando un altro foglio nel rullo, entra Sandro, con il fiatone.

C Claudio è dietro la scrivania. È vestito con i jeans tagliati corti e la solita maglietta nera con la scritta "Zero". Ha la macchina da scrivere sulle ginocchia e fissa il foglio bianco davanti a sé. Ogni tanto batte per un po' sui tasti, poi si ferma. Rilegge quello che ha scritto, estrae il foglio, lo accartoccia e lo scaraventa dall'altra parte della stanza. Riprende a guardare nel vuoto.

Scena sesta

2. ***Cerca nel testo le seguenti informazioni e sottolineale con due colori diversi.***

Claudio: **com'è?** **cosa fa?**

1 Claudio è dietro la scrivania. È vestito con i jeans tagliati corti e la solita maglietta nera con la scritta "Zero". Ha la macchina da scrivere sulle ginocchia e fissa il foglio bianco davanti a sé. Ogni
5 tanto batte per un po' sui tasti, poi si ferma. Rilegge quello che ha scritto, estrae il foglio, lo accartoccia e lo scaraventa dall'altra parte della stanza. Riprende a guardare nel vuoto.

A un certo punto, nel silenzio dell'appartamen-
10 to, irrompe la cicala del citofono. Claudio fa un respiro profondo, si toglie la macchina da scrivere dalle ginocchia, la poggia per terra e va a rispondere. Spinge sul pulsante un paio di volte, e contemporaneamente apre la porta. Mentre dal piane-
15 rottolo arrivano dei passi affrettati per le scale, Claudio si avvicina al letto e apre il cassetto del comodino. Tira fuori una boccettina di vetro, svita il tappo, toglie il contagocce e comincia a bere a piccoli sorsi. Tempo alcuni secondi e rimette il conta-
20 gocce nella boccetta, riavvita il tappo e la ripone nel cassetto del comodino. Deglutisce, tossisce, poi corre a sedersi di nuovo dietro la scrivania. Recupera la Lettera 22 e se la piazza sulle ginocchia. Nel momento in cui sta infilando un altro foglio nel rul-
25 lo, entra Sandro, con il fiatone.

Massimiliano Governi "L'uomo che brucia", Einaudi, Stile Libero, 2000

3. ***Trova nel testo le parole corrispondenti alle immagini e scrivile sui trattini.***

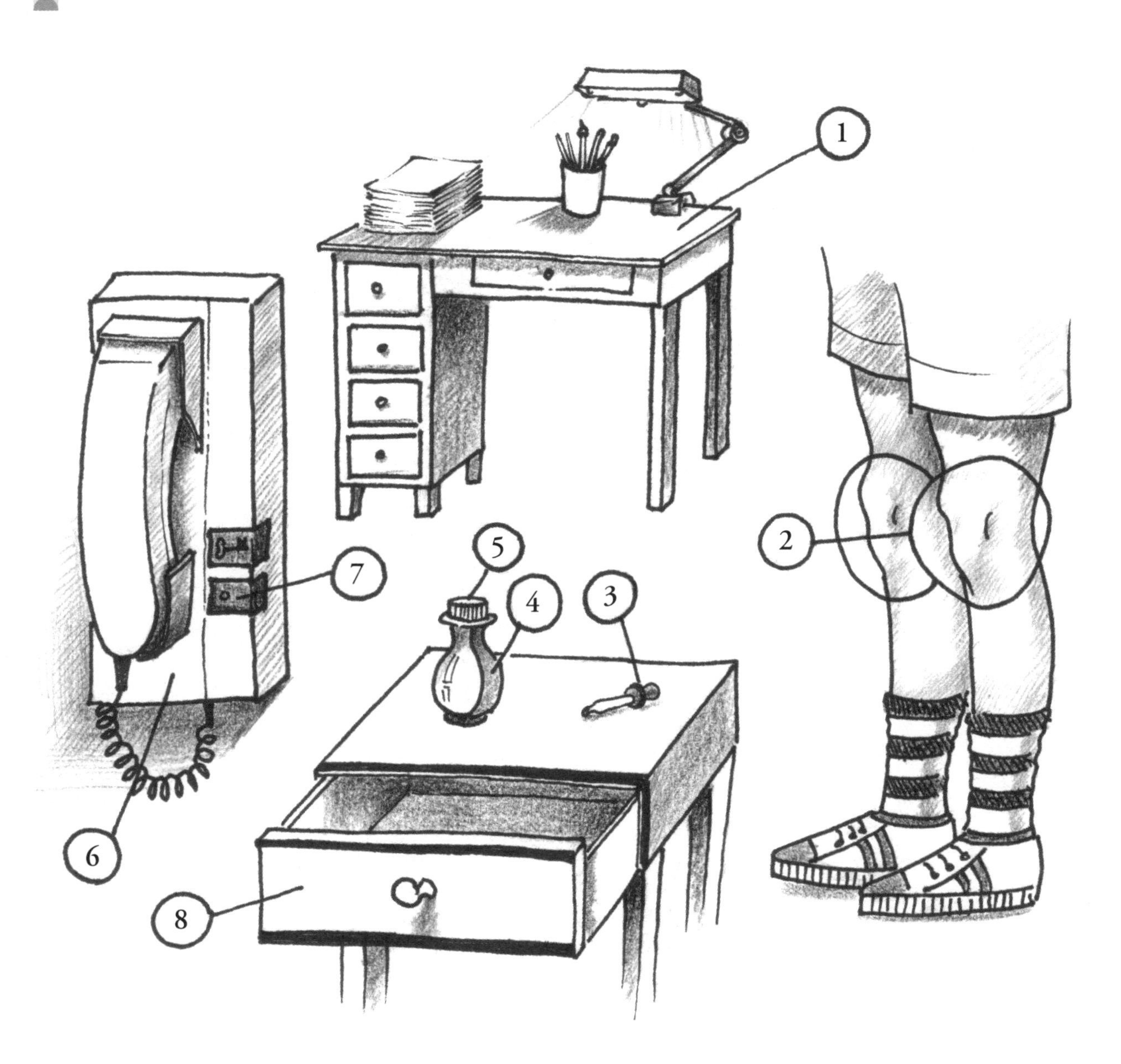

1. __ C __ __ __ __ __ __ __
2. __ __ __ __ __ __ H __ __
3. __ __ __ __ __ G __ __ __ __
4. B __ __ __ __ __ __ __
5. __ __ __ P __
6. __ __ __ __ F __ __ __
7. __ U __ __ __ __ __ __
8. __ __ S __ __ __ __ __

4. ***Secondo te, quanto dura la scena descritta nel testo?***

Scena sesta

5. ***Cerca nel testo i seguenti verbi e metti una crocetta (X) sul significato che ti sembra più appropriato.***

fissa (riga 4)	❑ legge	❑ guarda intensamente
scaraventa (riga 7)	❑ lancia con forza	❑ tiene
poggia (riga 12)	❑ mette	❑ alza
tira fuori (riga 17)	❑ prende	❑ mette dentro
riavvita (riga 20)	❑ richiude	❑ riapre
ripone (riga 20)	❑ prende	❑ rimette

6. ***Rileggi il testo aiutandoti con il dizionario e immagina il dialogo tra Claudio e Sandro. Poi scrivilo insieme a un compagno.***

7. ***Articolo o pronome? Unisci le parole evidenziate nel testo con il loro nome grammaticale (articolo o pronome).***

articolo		**pronome**
	Claudio è dietro (la) scrivania. È vestito con i jeans tagliati corti e la solita maglietta nera con (la) scritta "Zero". Ha la macchina da scrivere sulle ginocchia e fissa il foglio bianco davanti a sé. Ogni tanto batte per un po' sui tasti, poi si ferma. Rilegge quello che ha scritto, estrae il foglio, (lo) accartoccia e (lo) scaraventa dall'altra parte della stanza. Riprende a guardare nel vuoto. A un certo punto, nel silenzio dell'appartamento, irrompe la cicala del citofono. Claudio fa un respiro profondo, si toglie (la) macchina da scrivere dalle ginocchia, (la) poggia per terra e va a rispondere. Spinge sul pulsante un paio di volte, e contemporaneamente apre (la) porta. Mentre dal pianerottolo arrivano dei passi affrettati per le scale, Claudio si avvicina al letto e apre il cassetto del comodino. Tira fuori una boccettina di vetro, svita il tappo, toglie il contagocce e comincia a bere a piccoli sorsi. Tempo alcuni secondi e rimette il contagocce nella boccetta, riavvita il tappo e (la) ripone nel cassetto del comodino. Deglutisce, tossisce, poi corre a sedersi di nuovo dietro la scrivania. Recupera la Lettera 22 e se (la) piazza sulle ginocchia. Nel momento in cui sta infilando un altro foglio nel rullo, entra Sandro, con il fiatone.	

C'è un modo per capire se è articolo o pronome? Guarda le parole vicine e prova a scrivere la regola.

8. *Qual è l'intruso?*

rimette — riavvita — ripone — rischia — rilegge

9. *Trasforma il testo in un film o in un fotoromanzo. Utilizza anche il dialogo dell'attività 6.*

10. *Completa il testo con le preposizioni semplici o articolate.*

Claudio è dietro la scrivania. È vestito _____ i jeans tagliati corti e la solita maglietta nera _____ la scritta "Zero". Ha la macchina _____ scrivere _____ ginocchia e fissa il foglio bianco davanti a sé. Ogni tanto batte _____ un po' _____ tasti, poi si ferma. Rilegge quello che ha scritto, estrae il foglio, lo accartoccia e lo scaraventa _____ altra parte _____ stanza. Riprende _____ guardare _____ vuoto.
_____ un certo punto, _____ silenzio _____ appartamento, irrompe la cicala _____ citofono. Claudio fa un respiro profondo, si toglie la macchina _____ scrivere _____ ginocchia, la poggia _____ terra e va _____ rispondere. Spinge _____ pulsante un paio _____ volte, e contemporaneamente apre la porta.

Unità 14

Prima del bip

livello 2

1. *Scegli il titolo giusto per ogni messaggio della pagina seguente.*

Titoli

a. MESSAGGI IMPORTANTI.

b. ASSENTI.

c. SEGRETERIA CINEMATOGRAFICA.

d. IL NUMERO SEGRETO.

e. LA FAMIGLIA TELEDIPENDENTE.

f. IL MAGO.

g. CONVERSAZIONE STRATEGICA.

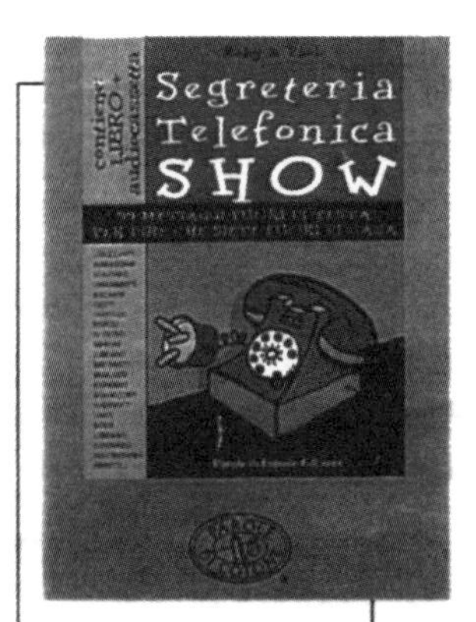

Notizie tratte da:
Segreteria telefonica show,
di Roby & Paolo,
Parole di cotone edizioni

Un messaggio prima del bip

L'INCOMUNICABILITÀ RACCONTATA IN 99 SEGRETERIE TELEFONICHE

Unità 15

Messaggi

1..
"Questa è la segreteria telefonica del 396516. Sono in casa, ma non ho voglia di parlare. Se ne avete voglia voi, lasciate un messaggio"
(dal film "La messa è finita" di Nanni Moretti)

2..
Col tono di un'annunciatrice televisiva: "Buongiorno. Questa è la segreteria telefonica di famiglia. Alle 7.30 usciamo di casa. I bambini vanno a scuola e noi al lavoro. Saremo assenti per tutta la giornata. Il rientro è previsto per le ore 19. Ci scusiamo per le eventuali variazioni d'orario e auguriamo a tutti un cordiale messaggio." *(Roby&Paolo)*

3..
"Per messaggi importanti parlate dopo il segnale acustico, per le dicerie inutili mettete giù la cornetta e parlate da soli." *(AA.VV)*

4..
"Salve! Non posso rispondere in questo momento perché sono incatenato dentro un baule, ma se avete per caso anche voi il libro *101 modi per fuggire*, vi pregherei di leggermi ad altissima voce il capitolo tre sulle manette..."
(D. Simons)

5..
"Questo è il mio numero segreto, nessuno lo conosce, neanche io, siete dunque pregati di comunicarmelo essendo voi gli unici a conoscerlo."
(C. Barbero-I Soggetti)

6..
"Nerio, sono Augusto, se senti questo messaggio nella segreteria del cellulare lascia un messaggio nella segreteria di casa mia perché adesso vado a fare la sauna e lì il cellulare non funziona però quando esco ti chiamo e se trovo il tuo cellulare spento ti lascio un messaggio a casa per dirti se prendo il treno dove mi puoi chiamare dalle otto e trenta alle nove perché dopo cominciano le gallerie, ma posso anche chiamare io la tua segreteria telefonica dicendoti dove sarò in albergo oppure se mi si scarica il cellulare chiamami tu in segreteria a casa che cerco di fare un trasferimento di chiamata, e se non ci riesco ti lascio in segreteria un numero dove puoi lasciarmi un messaggio dove dici a che ora hai il cellulare acceso così ti chiamo".
(da "Bar Sport 2000" di Stefano Benni)

7..
"Risponde lo 0372362816. Al momento non siamo in casa. Lasciate un messaggio dopo il bip e vi richiameremo al più presto." *(M.M.M.)*

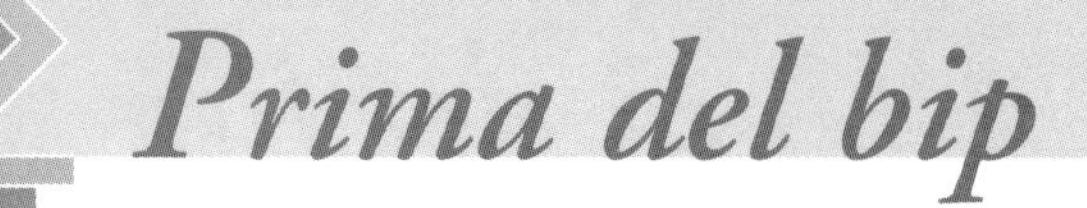

Prima del bip

2. *Gioco. Scopri la parola.*
Ascolta le istruzioni dell'insegnante (sono a pag. 128).

3. *Sottolinea nei testi le espressioni che si usano normalmente per i messaggi telefonici.*

4. *Dei 7 messaggi, quale ti sembra meno divertente? Insieme a un compagno prova a spiegare perché.*

5. *Immagina di essere uno di questi personaggi. Scrivi il testo per la tua segreteria telefonica e poi registralo su una cassetta. Ma attenzione!... non dire quale personaggio hai scelto. I compagni dovranno indovinarlo.*

uno con la testa tra le nuvole	**Superman**	**uno scrittore**
un ladro	**un single di ferro**	**un pompiere**
un cuoco	**una strega**	______________

6. *Ora ascolta i messaggi dei compagni e cerca di scoprire di quale personaggio si tratta.*

7. ***Completa il testo con le parole della lista.***

nessuno	**voi**	**questo**	**neanche**	**mio**

IL NUMERO SEGRETO.

"__________ è il __________ numero segreto, __________ lo conosce, __________ io, siete dunque pregati di comunicarmelo essendo __________ gli unici a conoscerlo."

8. ***Inserisci i verbi al presente indicativo o all'imperativo. I verbi sono in ordine.***

essere	**sentire**	**lasciare**	**andare**	**funzionare**	**uscire**	**chiamare**
trovare	**lasciare**	**prendere**	**potere**	**cominciare**	**potere**	**scaricarsi**
chiamare	**cercare**	**riuscire**	**lasciare**	**potere**	**dire**	**avere**
chiamare						

CONVERSAZIONE STRATEGICA.

"Nerio, __________ Augusto, se __________ questo messaggio nella segreteria del cellulare __________ un messaggio nella segreteria di casa mia perché adesso __________ a fare la sauna e lì il cellulare non __________ però quando __________ ti __________ e se __________ il tuo cellulare spento ti __________ un messaggio a casa per dirti se __________ il treno dove mi __________ chiamare dalle otto e trenta alle nove perché dopo __________ le gallerie, ma __________ anche chiamare io la tua segreteria telefonica dicendoti dove sarò in albergo oppure se mi __________ il cellulare __________ mi tu in segreteria a casa che __________ di fare un trasferimento di chiamata, e se non ci __________ ti __________ in segreteria un numero dove __________ lasciarmi un messaggio dove __________ a che ora __________ il cellulare acceso così ti __________".

1. *Hai 30 secondi per leggere il testo. Poi confrontati con un compagno. Quindi rileggi e confrontati ancora.*

NEW ECONOMY

Una favola americana

Un disoccupato sta cercando lavoro come uomo delle pulizie alla Microsoft. L'addetto del dipartimento del personale gli fa fare un test (scopare il pavimento); poi passa a un colloquio e alla fine gli dice: "Sei assunto, dammi il tuo indirizzo di e-mail, così ti mando un modulo da riempire insieme al luogo e la data in cui ti dovrai presentare per iniziare".

L'uomo, sbigottito, risponde che non ha il computer, né tantomeno la posta elettronica. Il tipo gli risponde che se non ha un indirizzo e-mail significa che virtualmente non esiste e quindi non gli possono dare il lavoro.

L'uomo esce, disperato, senza sapere cosa fare e con solo 10 dollari in tasca.

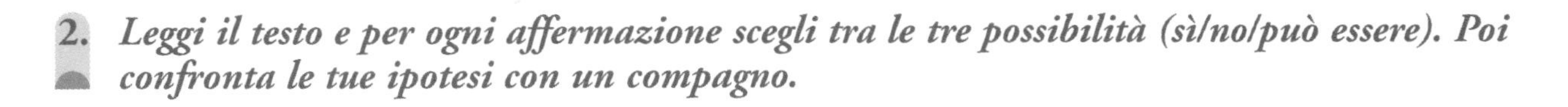

2. ***Leggi il testo e per ogni affermazione scegli tra le tre possibilità (sì/no/può essere). Poi confronta le tue ipotesi con un compagno.***

NEW ECONOMY

Una favola americana

Un disoccupato sta cercando lavoro come uomo delle pulizie alla Microsoft. L'addetto del dipartimento del personale gli fa fare un test (scopare il pavimento); poi passa a un colloquio e alla fine gli dice: "Sei assunto, dammi il tuo indirizzo di e-mail, così ti mando un modulo da riempire insieme al luogo e la data in cui ti dovrai presentare per iniziare".
L'uomo, sbigottito, risponde che non ha il computer, né tantomeno la posta elettronica. Il tipo gli risponde che se non ha un indirizzo e-mail significa che virtualmente non esiste e quindi non gli possono dare il lavoro.
L'uomo esce, disperato, senza sapere cosa fare e con solo 10 dollari in tasca.

Decide allora di...

Nel giro di 5 anni il tipo è il proprietario di una delle più grandi catene di negozi di alimentari degli Stati Uniti. Allora pensa al futuro e decide di stipulare una polizza sulla vita per lui e la sua famiglia. Contatta un assicuratore, sceglie un piano previdenziale e quando alla fine della discussione l'assicuratore gli chiede l'indirizzo e-mail per mandargli la proposta, lui risponde che non ha il computer né l'e-mail.
"Curioso – osserva l'assicuratore – avete costruito un impero e non avete una e-mail. Immaginate cosa sareste se aveste avuto un computer!".
L'uomo riflette e risponde "Sarei l'uomo delle pulizie della Microsoft".
_Morale n. 1: Internet non ti risolve la vita
_Morale n. 2: Se vuoi essere assunto alla Microsoft, cerca di avere una e-mail
_Morale n. 3: Anche se non hai una e-mail, ma lavori tanto puoi diventare miliardario
_Morale n. 4: Se hai ricevuto questa storia via e-mail hai più possibilità di diventare uomo delle pulizie che miliardario.

Decide allora di...

1. comprare un computer, tornare alla Microsoft e accettare il lavoro	sì ❏	no ❏	può essere ❏
2. aprire un'impresa di pulizie	sì ❏	no ❏	può essere ❏
3. abbandonare la famiglia	sì ❏	no ❏	può essere ❏
4. giocare i dieci dollari alla lotteria	sì ❏	no ❏	può essere ❏
5. comprare una cassa di dieci chili di pomodori	sì ❏	no ❏	può essere ❏

3. *Ora leggi il testo completo e verifica le tue ipotesi.*

NEW ECONOMY

Una favola americana

Un disoccupato sta cercando lavoro come uomo delle pulizie alla Microsoft. L'addetto del dipartimento del personale gli fa fare un test (scopare il pavimento); poi passa a un colloquio e alla fine gli dice: "Sei assunto, dammi il tuo indirizzo di e-mail, così ti mando un modulo da riempire insieme al luogo e la data in cui ti dovrai presentare per iniziare".

L'uomo, sbigottito, risponde che non ha il computer, né tantomeno la posta elettronica. Il tipo gli risponde che se non ha un indirizzo e-mail significa che virtualmente non esiste e quindi non gli possono dare il lavoro.

L'uomo esce, disperato, senza sapere cosa fare e con solo 10 dollari in tasca. Decide allora di andare al supermercato e comprare una cassa di dieci chili di pomodori. Vendendo porta a porta i pomodori in meno di due ore riesce a raddoppiare il capitale, e ripetendo l'operazione altre tre volte si ritrova con centosessanta dollari.

A quel punto realizza che può sopravvivere in quella maniera: parte ogni mattina più presto di casa e rientra sempre più tardi la sera, e ogni giorno raddoppia o triplica il capitale.

In poco tempo si compra un carretto, poi un camion e in un batter d'occhio si ritrova con una piccola flotta di veicoli per le consegne.

Nel giro di 5 anni il tipo è il proprietario di una delle più grandi catene di negozi di alimentari degli Stati Uniti. Allora pensa al futuro e decide di stipulare una polizza sulla vita per lui e la sua famiglia. Contatta un assicuratore, sceglie un piano previdenziale e quando alla fine della discussione l'assicuratore gli chiede l'indirizzo e-mail per mandargli la proposta, lui risponde che non ha il computer né l'e-mail.

"Curioso – osserva l'assicuratore – avete costruito un impero e non avete una e-mail. Immaginate cosa sareste se aveste avuto un computer!".

L'uomo riflette e risponde "Sarei l'uomo delle pulizie della Microsoft".

_Morale n. 1: Internet non ti risolve la vita

_Morale n. 2: Se vuoi essere assunto alla Microsoft, cerca di avere una e-mail

_Morale n. 3: Anche se non hai una e-mail, ma lavori tanto puoi diventare miliardario

_Morale n. 4: Se hai ricevuto questa storia via e-mail hai più possibilità di diventare uomo delle pulizie che miliardario.

da "Il Manifesto"

4. ***Sottolinea nel testo le parole relative al lavoro e all'economia e riempi gli insiemi.***

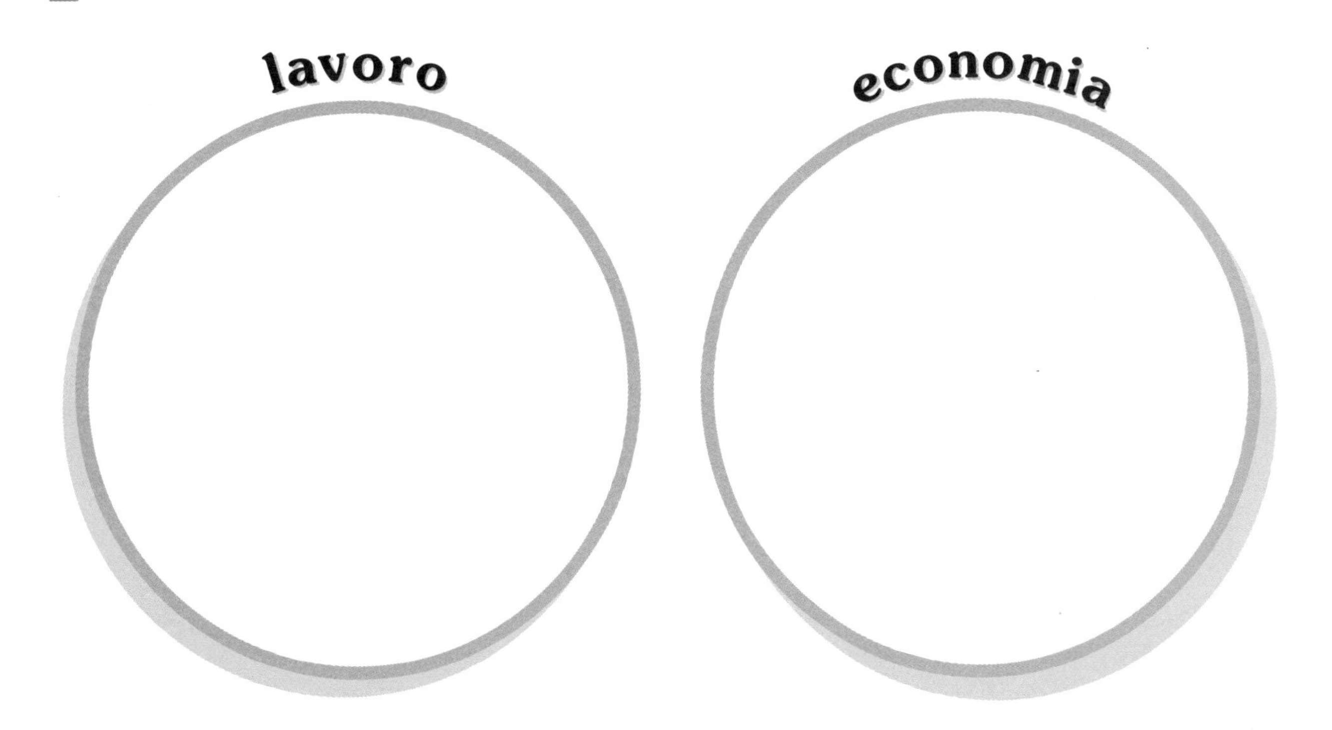

5. ***Leggi le definizioni delle parole "personale" (r. 5), "capitale" (r. 28), "catena" (r. 45) e scegli il significato adatto al testo.***

Personale (per.so.na.le) **1** agg. che riguarda una singola persona: *La tua è soltanto un'opinione personale.* **2** s.m. corporatura, aspetto fisico: *Vuole fare l'indossatrice perché ha un bel personale e si muove con grazia.* **3** s.m. *l'insieme dei dipendenti di un'azienda: Il personale della ditta può acquistare i prodotti con uno sconto del 40%.*

Capitale (ca.pi.ta.le) **1** agg. che si riferisce al capo, alla testa come sede della vita e, per estensione, che comporta la morte: *In alcuni stati esiste ancora oggi la pena capitale.* **2** s.f. la città principale di uno stato, in cui di solito ha sede il governo: *Roma è la capitale d'Italia.* **3** s.m. somma di denaro, ma anche insieme di proprietà (edifici, terre, macchinari e fabbriche) dai quali si ricava un reddito: *Per iniziare un'attività o per fare un investimento è necessario impegnare un capitale.*

Catena (ca.té.na) **1** s.f. serie più o meno lunga di anelli di metallo infilati gli uni negli altri: *Il cane è legato alla catena.* **2** s.f. serie di elementi congiunti fra loro in successione; anche, serie di avvenimenti che accadono senza intenzione: *Le Alpi e gli Appennini sono catene montuose. Una catena di fortunate coincidenze ha fatto sì che raggiungesse il suo scopo.* **3** s.f. gruppo di imprese che appartengono allo stesso proprietario: *Mio zio ha una catena di ristoranti.*

6. ***Internet ti risolve la vita? Parlane in classe.***

7. ***Riscrivi il testo.***

Un**a** disoccupat**a**…

…non **le** possono dare un lavoro.

1. ***Inserisci le domande dell'intervista al posto giusto nel testo.***

SVEVA SAGRAMOLA

Una passione chiamata Africa

DI **DANIELE CHIEFFI**

Ritratto di Massimo Jatosti

«Viaggio da sola. Un po' per scelta, un po' per necessità. Ma ogni volta che parto ho paura. Partire è andare incontro a qualcosa che non è rassicurante, vai verso una dimensione ignota e per questo il viaggio è sempre una verifica con te stesso». Sveva Sagramola, giovane conduttrice televisiva di *Geo & Geo* sulla Rai, viaggia per lavoro - la sua è una trasmissione "itinerante" - ma, soprattutto, per bisogno. «Viaggiare è necessario, arricchisce, rinnova, tira fuori un'enorme gioia di vivere».

....

«L'importante è partire ma ci sono dei posti che lasciano il segno. Per me è stata l'Africa. In quel continente riconosci qualcosa di te di cui non sapevi l'esistenza, qualcosa di atavico. Una dimensione della vita istintiva, naturale. È la tua parte ancestrale che riaffiora. Inoltre ho avuto fortuna...»

....

«Ho scoperto la bellezza del viaggiare lavorando. Quando hai una telecamera in mano puoi andare dove altri non possono andare, anzi, hai il dovere di documentare gli aspetti più nascosti. È questa la mia fortuna. E per questo io concepisco il racconto del viaggio per immagini. Solo la telecamera riesce a catturare colori, emozioni ed espressioni».

....

«Parto spesso da sola, o perché le mie vacanze sono in periodi dove gli altri lavorano o perché vado un po' all'avventura e non tutti sono disposti. Uno zaino, una federa per il cuscino e via».

....

«Oltre ai libri da leggere, a un taccuino per scrivere, non lascio mai la mia federa, perché spesso mi devo adattare per dormire».

....

«Direi di sì, sempre con prudenza, però. Io ho iniziato a viaggiare tanto da quando faccio questo mestiere. Prima i viaggi erano legati a particolari periodi, e stati d'animo, della mia vita. Quando lavoravo per *Mixer*, invece, giravo alla ricerca di storie. Il programma è finito ma la curiosità è rimasta. Così quando parto, cerco di "entrare dentro" i luoghi. Massima libertà, nessuno "appuntamento" da tour organizzato. L'importante è sintonizzarsi con i luoghi e per far questo devi fermarti un po' di tempo».

....

«No, non serve assolutamente a nulla».

Ha scelto per voi

PAESI

L'Africa nera e l'India -
Sono luoghi dove le esperienze sono molto intense.
Un paese del terzo mondo -
È necessario capire e scontrarsi con la vera miseria

IL VIAGGIO

Un viaggio al *Polo nord*, sui grandi ghiacciai.
Un'esperienza estrema, da fare.

da "I viaggi di Repubblica"

1. E quando non parti per lavoro?
2. Niente turismo mordi e fuggi...
3. Viaggi avventurosi, quindi...
4. E cioè?
5. Ma non sarà lo stesso ovunque si vada...
6. Una federa?

In viaggio

2. ***Rileggi l'intervista e completa la tabella con le informazioni presenti nel testo.***

viaggiare *per*	viaggiare *è*	viaggiare *come*	viaggiare *con cosa*
scelta			

3. ***Cerca nel primo paragrafo dell'intervista (righe 1-23) gli aggettivi corrispondenti alle definizioni e poi trascrivi nel riquadro la loro forma base.***

___________ - che suscita tranquillità e infonde fiducia, toglie dubbi o timori; tranquillizzante.

___________ - non conosciuto, misterioso.

___________ - che viaggia, si sposta da un luogo all'altro.

___________ - che ha dimensioni grandissime, fuori dal normale.

4. ***Sottolinea quattro parole o frasi che secondo te fanno capire la personalità di Sveva.***

5. ***Evidenzia l'affermazione o il giudizio espresso da Sveva che più condividi e che ritieni più vicino al tuo modo di concepire i viaggi e poi parlane con un compagno.***

6. ***Dal taccuino di Sveva...***
Immagina di essere Sveva e scrivi una pagina di diario.

Quegli uomini che

livello 3

1. ***Rimetti le battute nei fumetti e verifica le tue ipotesi con un compagno.***

E allora? Qual è il problema?
1

Ma ha tre anni...
2

Ah, e i suoi amici che cosa sono, eh...?!
3

Come? Ma l'hai chiamato?
4

Non esagerare! Puoi andare al supermercato e comunque vedi me!
5

Va bene, calmati non fare così per una sciocchezza.
6

maitena — DONNE A FIOR DI NERVI

Quegli uomini che bisogna lasciare prima che sia troppo tardi

QUELLI AI QUALI NON PIACE CHE TU VADA DALLO PSICANALISTA

Perché devi andare a raccontare i fatti nostri a uno sconosciuto, certo, è ovvio che è tutta colpa mia, no? Tu sei meravigliosa, ma sfortunatamente stai con me, no?

A

QUELLI CHE DISCUTONO CON IL CAMERIERE PER 50 CENTESIMI

Non è per spilorceria, ma fa andare in bestia che mi prendano per stupido

B

Una sciocchezza? 50 centesimi una sciocchezza...?!

QUELLI CHE TI ALLONTANANO DAI TUOI FIGLI

Lascialo a tua madre, non stargli così addosso! Deve sviluppare la sua indipendenza, deve essere autosufficiente, deve vivere di più la sua vita...!

C

QUELLI CHE ODIANO TUTTE LE TUE AMICHE

Dice che Loli è una deficiente, Tere una pettegola e tu... una strega...

D

...Non ne ha.

QUELLI CHE PREFERIREBBERO CHE TU NON LAVORASSI

Tutto il giorno in casa, senza mettere il naso fuori, senza vedere nessuno...?

E

QUELLI CHE STANNO SEMPRE PER SEPARARSI

Ma dai, non essere stupida, guarda che io, con lei, non ho più niente a che vedere...!

F

Che lei non lo sa ancora!

maitena

da Tuttolibri, "Donne a fior di nervi", La Stampa

2. ***Cerca nel testo le espressioni che hanno il seguente significato:***

a. fa veramente arrabbiare
b. controllarlo troppo
c. la nostra vita privata
d. che mi considerino
e. uscire
f. non la vedo e non la sento più

3. ***Scegli una vignetta. Rileggi il testo e osserva attentamente l'espressione del viso (la bocca, gli occhi, le sopracciglia), i gesti e i movimenti del corpo. Come definiresti le reazioni e lo stato d'animo dei personaggi? Parlane con un compagno aiutandoti con le parole qui sotto.***

imbarazzato **arrabbiato** **sorpreso**

ironico **aggressivo** **sarcastico**

seccato **depresso** **strafottente**

sulla difensiva **impaurito** **annoiato**

4. ***Quali di questi elementi ti sembrano più importanti per capire il loro stato d'animo?***

❑ tante domande
❑ tanti ordini
❑ la punteggiatura (… ! ?!)
❑ le parolacce
❑ la ripetizione di parole

5. ***Infine, prova a immaginare il tono della loro voce e segnalo sulle colonnine. Poi recita la scena della vignetta con un compagno.***

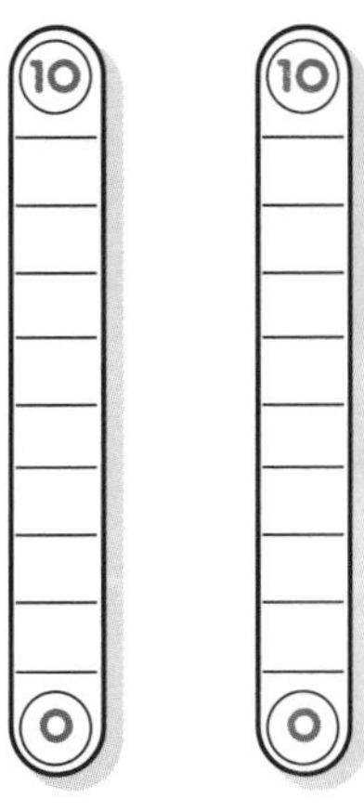

6. ***Ultimamente il tuo fidanzato/la tua fidanzata fa delle cose davvero molto strane e tu hai deciso di lasciarlo/lasciarla. Scrivigli/Scrivile una lettera spiegando i motivi della tua decisione facendo riferimento a dei fatti precisi.***

7. ***Nel tuo paese come si comportano le persone quando si arrabbiano o litigano? Parlane in classe.***

1. ***Quale di questi aforismi si avvicina di più alla tua concezione dell'arte?***

E. Delacroix
La prima virtù di un dipinto è essere una festa per gli occhi

U. Saba
L'opera d'arte è sempre una confessione

P. Gauguin
Innanzitutto l'emozione! Soltanto dopo la comprensione

G. Braque
L'arte è fatta per disturbare; la scienza per rassicurare

A. Graf
La realtà è un frastuono di cui l'arte deve saper fare un'armonia

A. Warhol
Un buon affare è la migliore opera d'arte

2. ***Leggi questo racconto e abbina al testo un aforisma tra quelli dell'attività 1.***

Il quadro

1 Portava i capelli sciolti, spioventi sulle spalle. Era una delle tante donne che raccoglievano papaveri nelle loro ceste. In una città della Cina, chissà dove,
5 chissà quando, due amici stavano contemplando quel quadro, dipinto da chissà chi, che mostrava la raccolta in un campo di fiori. Uno dei due amici, chissà perché, continuava a fissare quel-
10 la donna. Lui non riusciva a smettere di guardarla, finché, lei ricambiò, infine, il suo sguardo, lasciò cadere la cesta, tese le braccia e, chissà come, se lo portò via. Lui si lasciò andare fino al luogo elevato
15 dove non possono arrivare queste parole che vorrebbero raccontare quello che accadde. E con quella donna passò le notti e i giorni, chissà quanti, finché, un vento impetuoso lo strappò di lì e lo
20 restituì alla sala dove il suo amico era sempre piantato davanti al quadro. Era stata così breve quell'eternità che l'amico non si era neppure reso conto della sua assenza. E non si era nemmeno
25 reso conto che quella donna, una delle tante donne che raccoglievano papaveri nelle loro ceste, adesso portava i capelli raccolti, legati sulla nuca.

da "Il Manifesto"

Il quadro

3. ***Rileggi l'inizio e la fine del racconto (dalla riga 1 alla 3 e dalla riga 24 alla 28). Cosa noti? Come interpreti questa variazione?***

4. ***Rileggi il testo. Quali sono le reazioni dei personaggi? Quali emozioni rivelano?***

LEI	
LUI	
LUI	

5. ***Nel testo ci sono tre diversi modi per indicare l'azione dell'osservare. Sapresti dire quali sono e precisarne le sfumature di significato? Se non sei sicuro controlla sul dizionario.***

a. ....

b. ....

c. ....

6. ***Porta in classe l'immagine di un quadro che ti emoziona e presentala ai compagni.***

7. ***Informati sulle mostre che ci sono in città e consigliane una ai tuoi compagni.***

8. *A questo testo manca l'ultima parola di ogni riga. Completalo con le parole della lista.*

conto nemmeno ceste. che delle contemplando elevato le era quadro. capelli in da sulle che via. tese amici, un quella di parole che papaveri nuca. lo il dove,

Il quadro

Portava i capelli sciolti, spioventi ________
spalle. Era una delle tante donne ________
raccoglievano papaveri nelle loro ________
In una città della Cina, chissà ________
chissà quando, due amici stavano ________
quel quadro, dipinto ________
chissà chi, che mostrava la raccolta ________
un campo di fiori. Uno dei due ________
chissà perché, continuava a fissare ________
donna. Lui non riusciva a smettere ________
guardarla, finché, lei ricambiò, infine, ________
suo sguardo, lasciò cadere la cesta, ________
le braccia e, chissà come, se lo portò ________
Lui si lasciò andare fino al luogo ________
dove non possono arrivare queste ________
che vorrebbero raccontare quello ________
accadde. E con quella donna passò ________
notti e i giorni, chissà quanti, finché, ________
vento impetuoso lo strappò di lì e ________
restituì alla sala dove il suo amico ________
sempre piantato davanti al ________
Era stata così breve quell'eternità ________
l'amico non si era neppure reso ________
della sua assenza. E non si era ________
reso conto che quella donna, una ________
tante donne che raccoglievano ________
nelle loro ceste, adesso portava i ________
raccolti, legati sulla ________

Tiscali lavoro

livello 3

1. *Osserva le immagini. Chi ti piacerebbe avere come capo? Parlane con un compagno.*

2. *Leggi e completa il testo "Il sogno proibito? Licenziare il capo". Mancano 5 aggettivi e 2 sostantivi.*

MONDO LAVORO
- Il tuo CV in Rete
- Guida alla Carriera
- Imprenditoria
- Lavori Atipici
- Lavoro Disabili
- Enti e Istituzioni
- Problemi del Lavoro

COMMUNITY
- Forum

OBIETTIVO SU...
- Nuova flessibilità in ufficio
- Speciale Università: più studi, più guadagni
- Privacy, così si difende al lavoro
- L'assegno per il nucleo familiare
- Come chiedere l'anno sabbatico
- Una guida per riscattare la laurea
- Disoccupazione, i requisiti per l'indennità
- Busta paga: ecco come si legge

TISCALI RADIO

Internet radio
Ascolta...

CONCORSI PUBBLICI | FORMAZIONE | FRANCHISING | LAVORO ALL'ESTERO | CONS

Il sogno proibito? Licenziare il capo
Un sondaggio di Men's Health

Ricevere un aumento o una promozione è ________________, ma per i lavoratori italiani il vero sogno sarebbe licenziare il capo o mandarlo a frequentare un master "almeno così impara qualcosa". Sono i risultati di un sondaggio condotto da Eta Meta per la rivista Men's Health su 700 persone fra 30 e 50 anni. Gli impiegati si dimostrano ________________ del loro responsabile. Il 24% lo farebbe licenziare in tronco, il 18% lo farebbe retrocedere mentre l'11% lo rimprovererebbe continuamente.

Ma l'________________ verso colleghi e superiori è confermato anche dal fatto che il 55% degli uomini rinuncerebbe addirittura al 10% dello stipendio (circa 100 euro su una paga di 1.000 euro) pur di mandare via qualcuno dal suo ufficio. E questo la dice lunga sui ________________rapporti, spesso conflittuali, che si instaurano sul posto di lavoro e sulla considerazione di cui godono i capi.

Capita spesso che i ________________vengano giudicati prepotenti e allo stesso tempo ________________ professionalmente. È per questo che la maggior parte dei lavoratori li manderebbe a frequentare corsi professionali. Non si finisce mai di imparare: la vecchia regola vale anche per chi occupa posizioni di potere e spesso si prende i meriti per cose fatte da altri che si impegnano, raggiungono ottimi risultati senza però ricevere i ________________ riconoscimenti.

■ CURIOSITA'
L'immagine di un'azienda? Dipende dal gossip

■ E-GLOBAL
In 70 per le telecomunicazioni

■ CAMBIO LAVORO
Trova subito un impiego

■ GDO
In 210 per Castorama e Coop

Guida on line sulle ferie
"Quante ferie mi sono rimaste ?" Questa è sicuramente una delle domande più frequenti che si pongono gli impiegati prima della fine dell'anno. E molto spesso, ci si ritrova a fare conti infiniti su giorni arretrati e ore di permesso che non si è riusciti a prendere. Scopri quali sono i tuoi diritti nello Speciale.

Concorsi Pubblici

La Gazzetta del 15 aprile 2003
E' on line la Gazzetta Ufficiale numero 30 del 15 aprile 2003. Il Ministero della Difesa bandisce un concorso per titoli ed esami, per il reclutamento di duecentotrentotto sottotenenti in servizio permanente effettivo nel ruolo speciale delle Armi di fanteria, cavalleria, artiglieria, genio, trasmissioni dell'Esercito. Gli altri bandi per Sanità, Università e altri Enti.

3. *Sottolinea nel testo l'informazione che ti sembra più curiosa.*

HOME | ABBONATI | ADSL | MAIL | RICERCA | FAX | MOBILE

Animali | Annunci | Arte | Europa | Finanza | Giochi | Lavoro | Mode | Motori | Musica | Notizie | Shopping | Spet

SMS ANIMATI SUBITO

HAI RICEVUTO UN SMS ANI

inoltra a: 348

Menu

TISCALI LAVORO

MONDO LAVORO
Il tuo CV in Rete
Guida alla Carriera
Imprenditoria
Lavori Atipici
Lavoro Disabili
Enti e Istituzioni
Problemi del Lavoro

COMMUNITY
Forum

per la tua moto e il tuo scooter?
ebay Motors. clicca qui

OBIETTIVO SU...
Nuova flessibilità in ufficio
Speciale Università: più studi, più guadagni
Privacy, così si difende al lavoro
L'assegno per il nucleo familiare
Come chiedere l'anno sabbatico
Una guida per riscattare la laurea
Disoccupazione, i requisiti per l'indennità
Busta paga: ecco come si legge

CONCORSI PUBBLICI | FORMAZIONE | FRANCHISING | LAVORO ALL'ESTERO | CONS

Il sogno proibito? Licenziare il capo

Un sondaggio di Men's Health

Ricevere un aumento o una promozione è importante, ma per i lavoratori italiani il vero sogno sarebbe licenziare il capo o mandarlo a frequentare un master "almeno così impara qualcosa". Sono i risultati di un sondaggio condotto da Eta Meta per la rivista Men's Health su 700 persone fra 30 e 50 anni.

Gli impiegati si dimostrano insoddisfatti del loro responsabile. Il 24% lo farebbe licenziare in tronco, il 18% lo farebbe retrocedere mentre l'11% lo rimprovererebbe continuamente.

Ma l'odio verso colleghi e superiori è confermato anche dal fatto che il 55% degli uomini rinuncerebbe addirittura al 10% dello stipendio (circa 100 euro su una paga di 1.000 euro) pur di mandare via qualcuno dal suo ufficio. E questo la dice lunga sui difficili rapporti, spesso conflittuali, che si instaurano sul posto di lavoro e sulla considerazione di cui godono i capi.

Capita spesso che i superiori vengano giudicati prepotenti e allo stesso tempo incompetenti professionalmente. È per questo che la maggior parte dei lavoratori li manderebbe a frequentare corsi professionali. Non si finisce mai di imparare: la vecchia regola vale anche per chi occupa posizioni di potere e spesso si prende i meriti per cose fatte da altri che si impegnano, raggiungono ottimi risultati senza però ricevere i giusti riconoscimenti.

Guida on line sulle ferie
"Quante ferie mi sono rimaste ?" Questa è sicuramente una delle domande più frequenti che si pongono gli impiegati prima della fine dell'anno. E molto spesso, ci si ritrova a fare conti infiniti su giorni arretrati e ore di permesso che non si è riusciti a prendere. Scopri quali sono i tuoi diriitti nello Speciale.

Concorsi Pubblici

La Gazzetta del 15 aprile 2003
E' on line la Gazzetta Ufficiale numero 30 del 15 aprile 2003. Il Ministero della Difesa bandisce un concorso per titoli ed esami, per il reclutamento di duecentotrentotto

4. *Cerca nel testo le espressioni che significano:*

- **all'improvviso:** ....

- **spiega molte cose:** ....

5. ***Il lavoro dei miei sogni... Parlane con un compagno.***

6. ***Leggi questa frase del testo:***

> ...il 55% degli uomini rinuncerebbe addirittura al 10% dello stipendio (circa 100 euro su una paga di 1000 euro) pur di mandare via qualcuno dal suo ufficio.

E tu? Completa la frase seguente:

Sarei disposto a .... pur di ....

7. ***Cerca nel primo paragrafo del testo le due parole che possono andar bene per completare le frasi. Attenzione le parole sono sempre le stesse.***

1. Vieni un po' prima, ________ ________ mi aiuti a preparare la cena.
2. Glielo compro ________ ________ smette di piangere.
3. Quest'anno ho deciso di non andare in vacanza ________ ________ risparmierò un po' di soldi.
4. Facciamo in fretta ________ ________ possiamo prendere il primo treno.

8. ***"insoddisfatti" (riga 9) è il contrario di "soddisfatti". Il prefisso IN, a volte, ha valore negativo. Cerca nella pagina del dizionario le parole in cui IN ha questa funzione. Nell'articolo c'è un altro aggettivo formato dallo stesso prefisso. Quale?***

insigne (in.si.gne) agg. che si distingue per qualità e doti particolari; illustre, famoso: *Il nonno di Giorgio era un insigne matematico. Questo è il monumento più insigne della città:* importante.

E dal lat. **insignis** "che porta un segno di distinzione", comp. di in- "in-" col significato di "mettere" e **signum** "segno".

S celebre, sommo, eccelso.

C mediocre, ignoto, sconosciuto.

insignificante (in.si.gni.fi.can.te) agg. **1** poco importante, che significa poco o nulla: *Mi sembra un dettaglio insignificante.* **2** che non ha qualità, pregi: *E' una persona insignificante.*

E comp. di **in-** con valore negativo e **significante.**

S trascurabile, secondario (nel significato 1); banale, ordinario (nel significato 2).

C significante, rilevante, importante (nel significato 1); interessante, affascinante, attraente (nel significato 2).

insinuare (in.si.nua.re) v. 1° con.reg. **1** tr. introdurre a poco a poco in una stretta apertura: *E' riuscito a insinuare la mano nella fessura fra i battenti della porta.* **2** far nascere dubbi, sospetti, inquietudini nell'animo di qualcuno: *Con quell'accenno ha insinuato l'idea di volersene andare.* **3** tentare di far credere con allusioni o calunnie: *Ha insinuato accuse tremende sul conto dell'amico.* **4** rifl. intr. **insinuarsi:** penetrare, infiltrarsi: *L'acqua s'insinua nelle crepe del muro e a poco a poco lo sgretola.*

G io insinuo; aus. avere (nei significati 1, 2 e 3) e essere (nel significato 4).

E dal lat. **insinuare**, comp. di in- "**in**-" col significato di "mettere dentro" e **sinus** "piega formata davanti al petto dalla toga gettata sulla spalla" e quindi "petto, animo".

S infilare, introdurre (nel significato 1).

C sfilare (nel significato 1).

insipido (in.sì.pi.do) agg. **1** poco saporito, privo di sapore: *Questo brodo è insipido.* **2** in senso figurato, privo di vivacità, di personalità: *Non so come faccia a piacerti; è una ragazza così insipida!*

E dal lat.tardo **insìpidus,** comp. di **in-** "in-" con valore negativo e **sàpidus** "saporito".

S scipito (nel significato 1); scialbo, banale, insignificante (nel significato 2).

C gustoso, sapido, saporito (nel significato 1); vivace, interessante (nel significato 2).

insistente (in.si.stèn.te) agg. **1** che insiste troppo a lungo, o che viene ripetuto più volte, diventando, fastidioso: *Non essere insistente, ti ho già detto che non posso uscire. Alle sue insistenti preghiere non so resistere.* **2** che dura a lungo, che non smette: *Le nostre vacanze sono state rovinate da una pioggia insistente.*

E part.pres. di **insistere.**

S petulante, ostinato, indiscreto (nel significato 1); incessante (nel significato 2).

insistere (in.sì,ste,re) v.intr. 2° con.irreg. **1** continuare a fare qualcosa: *Insisteva a chiedermi sue notizie nonostante gli dicessi che non lo conoscevo. Insisti nei tuoi sforzi e vedrai che riuscirai.* **2** in geometria, **insistere su un arco:** di un angolo al centro o alla circonferenza i cui lati passano per gli estremi dell'arco.

G aus. avere.

E dal lat. **insìstere,** comp. di **in-** "in-" col significato di "sopra" e **sìstere** "stare".

S perseverare, ostinarsi (nel significato 1).

C desistere, smettere (nel significato1).

insoddisfatto (in.sod.di.sfat.to) agg. non appagato, scontento: *Gli ho chiesto una spiegazione ma quella che mi ha dato mi ha lasciato insoddisfatto.*

E comp. di **in-** con valore negativo e **soddisfatto.**

S deluso.

C soddisfatto, contento, pago.

insofferente (in.sof.fe.rèn.te) agg. che non tollera, non sopporta: *E' insofferente ai comandi e alle imposizioni.*

E comp. di **in-** con valore negativo e **sofferente.**

S intollerante.

C tollerante, paziente.

insolazione (in.so.la.ziò.ne) s.f. **1** malore provocato da una esposizione troppo lunga ai raggi solari: *Vieni all'ombra o ti prenderai un'insolazione!* **2** la quantità di raggi solari che in un'unità di tempo raggiunge una porzione di superficie ter-

1. *MELODRAMMA è una parola composta. Trova nel dizionario le due parole che la compongono e scrivi le definizioni nei riquadri.*

MELODRAMMA

Unità 21

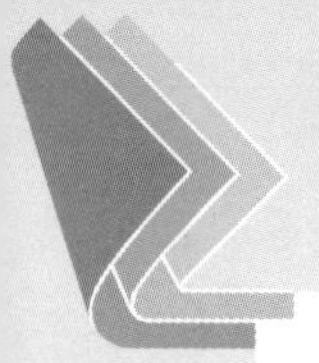

Melodramma

2. ***Questa è una pubblicità che gioca con la parola MELODRAMMA. Guarda l'immagine, leggi il testo e prova a spiegare in che cosa consiste il gioco di parole.***

Agenzia Armando Testa

3. *L'insegnante ti proporrà 3 brani musicali. Ascoltali e scegli quello che ti sembra più adatto come colonna sonora della pubblicità (le istruzioni sono a pag. 129).*

4. *Rileggi il testo e scrivi nella tabella le caratteristiche dei due marchi di mele.*

Melinda Val di Non	Melasì Melinda Val di Non	Melasì

5. *Ti piace questa pubblicità? La trovi efficace? Parlane con un compagno.*

6. *Insieme a un compagno scegli una categoria grammaticale e prepara un cloze per i tuoi compagni usando il testo della pubblicità. Se non sai cos'è un cloze chiedi al tuo insegnante (le istruzioni sono a pag. 129).*

7. *Macedonia di frutta. Insieme alla tua squadra hai 3 minuti di tempo per trovare dei nomi di frutti. Attenzione! A ogni trattino corrisponde una lettera. Vince la squadra che trova più frutti.*

_ _ _

M E L A

_ _ _ _ _

_ _ _ _ _ _

_ _ _ _ _ _ _

_ _ _ _ _ _ _ _

_ _ _ _ _ _ _ _ _

_ _ _ _ _ _ _ _ _ _

8. *Scrivi una storia utilizzando queste parole nella sequenza che trovi qui sotto.*

È bastata una notte | **purtroppo** | **infatti** | **solo così** | **ora capite perché** | **ma niente paura** | **ovviamente** | **ci voleva il lieto fine, vero?**

9. *Completa il testo con i seguenti aggettivi concordandoli in modo appropriato.*

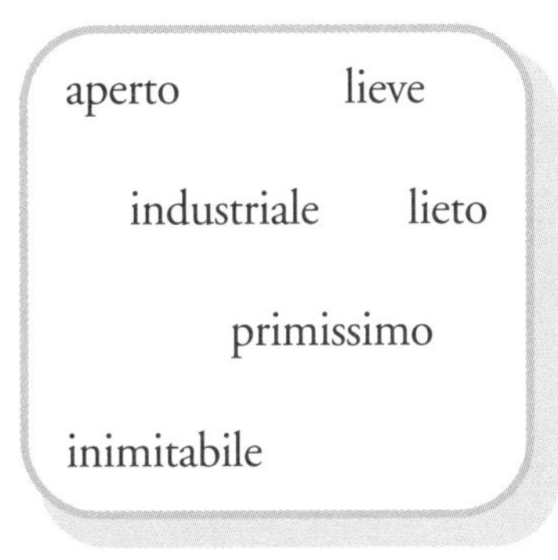

La grandine ha danneggiato parte del nostro raccolto. Sono i rischi di chi fa questo mestiere. Di più, di chi lo ama.

È bastata una notte. Una violenta grandinata ha compromesso un anno di lavoro in Val di Non. Purtroppo questi sono i rischi dovuti ad una coltivazione senza processi _____________. Le nostre mele, infatti, crescono all'aria _____________ e maturano alla luce del sole. Solo così raggiungono la croccantezza e il gusto che le rende _____________. Ora capite perché quest'anno la qualità Melinda è ancora più rara. Ma niente paura: accanto alle Melinda di sempre, troverete anche i prodotti a marchio "MelaSì". Sono le mele colpite dalla grandine che presentano solo nella forma qualche _____________ imperfezione. Ma sono tutte di _____________ qualità, e tutte garantite dal Consorzio Melinda. Ovviamente, costano meno. (Ci voleva il _____________ fine, vero?)

Melasì® Melinda Val di Non

10. *Adesso leggi questa ricetta e poi a casa prepara le mele ripiene!*

Mele ripiene

Per 6 porzioni

1 tazza di farina • 1/4 di tazza di zucchero di canna • 1/2 tazza di burro • 1/4 di tazza di nocciole finemente tritate • 4 tazze di mele a fette • Cannella e noce moscata • Panna

Torte

Mescolate la farina e lo zucchero; incorporate il burro e impastate leggermente. Aggiungete anche le nocciole tritate. Disponete le fette di mela su una piastra da forno imburrata e cospargetele di cannella e noce moscata. Copritele con l'impasto e cuocetele a temperatura moderata (190°) per circa 45 minuti. Servite con la panna.

1. *DIRITTI o DOVERI? Parlane con i compagni.*

ANDARE A VOTARE

LAVORARE

PAGARE LE TASSE

ANDARE A SCUOLA

Unità 22

2. *Cerca nel testo A la parola che corrisponde alla definizione del dizionario (testo B).*

A

L'Italia è una Repubblica democratica, fondata sul lavoro.
La sovranità appartiene al popolo, che la esercita nelle forme e nei limiti della Costituzione.

B

________________ *legge fondamentale, superiore a ogni altra, che definisce i diritti e i doveri dei cittadini e l'ordinamento dello stato.*

3. ***Ora leggi questi articoli della Costituzione italiana e trova nel riquadro le parole che hanno un significato simile a quelle evidenziate nel testo.***

importanza	**difende**	**rispetto**	**usa**	**problemi**	**potere**
tipo	**uguale**	**aggressione**		**favorisce**	**rifiuta**
	fondamentali	**eliminare**	**strisce** (1)	**differenza**	

Art. ___

La bandiera della Repubblica è il tricolore italiano: verde, bianco e rosso a tre bande (1) verticali di eguali dimensioni.

Art. ___

La Repubblica riconosce e garantisce i diritti inviolabili (2) dell'uomo, sia come singolo sia nelle formazioni sociali ove si svolge la sua personalità, e richiede l'adempimento (3) dei doveri inderogabili di solidarietà politica, economica e sociale.

Art. ___

L'Italia ripudia (4) la guerra come strumento di offesa (5) alla libertà degli altri popoli e come mezzo di risoluzione delle controversie (6) internazionali (…)

Art. ___

Tutti i cittadini hanno pari (7) dignità (8) sociale e sono eguali davanti alla legge, senza distinzione (9) di sesso, di razza, di lingua, di religione, di opinioni politiche, di condizioni personali e sociali. È compito della Repubblica rimuovere (10) gli ostacoli di ordine (11) economico e sociale, che, limitando di fatto la libertà e l'eguaglianza dei cittadini, impediscono il pieno sviluppo della persona umana e l'effettiva partecipazione di tutti i lavoratori all'organizzazione politica, economica e sociale del Paese.

Art. ___

L'Italia è una Repubblica democratica, fondata sul lavoro.
La sovranità (12) appartiene al popolo, che la esercita (13) nelle forme e nei limiti della Costituzione.

Art. ___

La Repubblica promuove (14) lo sviluppo della cultura e la ricerca scientifica e tecnica. Tutela (15) il paesaggio e il patrimonio storico e artistico della Nazione.

4. ***In quale ordine di importanza li metteresti? Metti un numero accanto a ogni articolo e parlane con i compagni.***

5. ***Per sapere l'ordine esatto degli articoli che hai letto leggi l'opinione di alcuni italiani che hanno aderito all'iniziativa "Adottiamo la costituzione" (www.adottiamolacostituzione.it). Poi attribuisci a ciascun articolo dell'attività 3 il suo numero corrispondente.***

Art. 1
Francesca Sarcina - Terlizzi (BA)
Perché ritengo che un paese che voglia definirsi civile, non può non assicurare a tutti un lavoro dignitoso.

Art. 2
Salvatore Prisco - Napoli
Adotto l'articolo 2, perché l'equilibrio che esso disegna tra diritti inviolabili della persona e doveri inderogabili di solidarietà politica, economica e sociale è la base della convivenza.

Art. 3
Fabio Galluccio - Roma
Adotto l'articolo 3 perché più di ogni altro insegna la tolleranza e l'amore per la giustizia.

Art. 9
Aurelia Siccardi - Milano
Che tristezza assistere impotenti allo sfacelo del "giardino d'Europa". Abbiamo l'articolo 9 che, se ben applicato, potrebbe limitare i danni che incuria e ignoranza hanno perpetrato.

Art. 11
Antonello Dionisi - Roma
Irak, Afghanistan, Kurdistan, Libia, Libano, Palestina, Serbia, Montenegro, Kosovo, Albania, Iran, Cecenia eccetera, eccetera, eccetera...

Art. 12
Agnese Bertello - Firenze
Voglio adottare l'articolo 12 della Costituzione italiana perché io il nostro tricolore l'ho sempre trovato francamente brutto. L'ho amata sempre di un amore un po' pietoso, la nostra bandiera, quello che si riserva alle cose umili, e senza orgoglio.
La descrizione che se ne fa nell'articolo, nella sua asciuttezza, lo riabilita: è assolutamente degno del Bauhaus. Mi piacciono molto queste tre bande verticali di eguali dimensioni. Quasi a sottolineare che, per tante che siano le parti di cui è composta la nostra Italia, l'importante è che abbiano uguale peso, uguale valore, uguale dignità: il bianco, il rosso e il verde.

6. *Avete appena fondato un nuovo stato. Insieme ai tuoi compagni scegli il nome, disegna la bandiera e scrivi i primi cinque principi fondamentali della nuova Costituzione.*

7. *Il gioco della legge scomparsa. Gioca in coppia con un compagno. Vince la coppia che per prima ricostruisce il testo (le istruzioni sono a pag. 129).*

___ ___ ___ ___ guerra come ___ ___

___ ___ ___ ___ ___ ___ ___

___ ___ ___ ___ ___

Regali

livello 4

1. ***Il testo che segue è stato suddiviso in quattro parti (a, b, c, d). Leggilo e fai gli esercizi. Verifica le tue ipotesi con un compagno.***

a. Inserisci le parole scritte a destra trasformandole nel modo appropriato.

Cercare di comunicare rispetto e **amicizia** per mezzo di regali è spesso ___________: ad esempio, in Cina un orologio, che richiama il passare del tempo è un *memento mori*, quindi è un regalo ___________ improponibile - come del resto i fiori (soprattutto bianchi) in Oriente, i crisantemi in Italia, i fiori gialli in Messico, le corone d'alloro in Germania dove non accompagnano la cerimonia di ___________ ma un funerale... Se non di ___________ i fiori possono parlare di malattie. Regalare fiori bianchi e rossi a un ___________ in Inghilterra richiama il sangue ___________ sul bianco lenzuolo, e in molte culture anglosassoni portare piante a un malato in ospedale è ___________ perché pare quasi ___________: "Metti anche tu le radici qui".

amico
rischio

assoluto

laurearsi **morire**

ammalarsi
spargere

offesa **augurio**

b. Ricostruisci il testo scrivendo le parole mancanti nell'ordine giusto.

In Giappone esiste una vera e propria cultura della confezione dei regali (esiste un libro che tratta in profondità, tra le altre cose, la cultura della confezione: Hendry 1993) in quanto essa indica lo status della persona cui il regalo viene fatto. Il regalo, in Giappone come in Corea e in Cina, viene posato, senza aprire la confezione, e

....

....

ringraziamento da gli breve che viene generico
occidentali lascia e accompagnato interdetti un

che l'hanno portato.

c. Continua a leggere inserendo le seguenti parole.

ma	**sia**	**quindi**	**sia**	**sia**
soprattutto se		**in qualche modo**	**se**	**e**

Ma ____________ in Giappone la confezione è parte integrante (e fortemente significativa come si è detto) del regalo, in Germania fiori e confezione collidono: regalare fiori con il cellophane intorno è offensivo: esiste un filmato in cui il celebre pianista Richter, al teatro la Fenice di Venezia, butta stizzito dentro la "coda" del pianoforte un mazzo di fiori consegnatogli con la carta intorno...
I regali costituiscono un importante mezzo di comunicazione ____________ intimo (regalare fiori è dovunque "rischioso"), ____________ ufficiale (i regali con marchio aziendale sono graditi in molte culture, ma "poco fini" in Italia), ____________ sociale, in occasione di inviti a cene ecc. La tendenza internazionale è sempre di più quella di aprire il regalo, ____________ si tratta di un pacchetto, per comunicare il fatto che è stato gradito; ____________ in Germania la gestione del regalo è un po' peculiare: arrivare a una cena con vino e dolci è ____________ poco educato ____________ sembra indicare il timore che l'ospite non abbia preparato dolci o predisposto vino: ____________ i regali culinari non verranno aperti.

d. chi o che?

Di solito ____________ fa un regalo ne attenua retoricamente il valore affermando ____________ "è solo un pensiero", al ____________ ____________ lo riceve ribatte altrettanto retoricamente ____________ "non doveva disturbarsi" e si profonde in lodi di ciò ____________ ha ricevuto (questa coppia di battute abbastanza diffuse ovunque è assolutamente di rigore nel mondo ispanico). Fanno eccezione gli americani ____________ esprimono l'apprezzamento per una persona attraverso il valore del regalo e ____________ quindi spesso parlano del costo o lasciano l'etichetta con il prezzo (anche se si tratta di una tendenza ____________ negli ambienti più internazionalizzati sta scomparendo).

2. *Rileggi il testo. Quali informazioni ti sembrano più curiose?*

1 Cercare di comunicare rispetto e amicizia per mezzo di regali è spesso rischioso: ad esempio, in Cina un orologio, che richiama il passare del tempo è un memento mori, quindi è un regalo assolutamente improponibile - come del resto i fiori (soprattutto bianchi) in Oriente, i crisantemi in Italia, i fiori gialli in Messico, le corone d'alloro in Germania dove non accompagnano la
5 cerimonia di laurea ma un funerale... Se non di morte i fiori possono parlare di malattie. Regalare fiori bianchi e rossi a un malato in Inghilterra richiama il sangue sparso sul bianco lenzuolo, e in molte culture anglosassoni portare piante a un malato in ospedale è offensivo perché pare quasi augurare: "Metti anche tu le radici qui".
In Giappone esiste una vera e propria cultura della confezione dei regali (esiste un libro che tratta in
10 profondità, tra le altre cose, la cultura della confezione: Hendry 1993) in quanto essa indica lo status della persona cui il regalo viene fatto. Il regalo, in Giappone come in Corea e in Cina, viene posato, senza aprire la confezione, e viene accompagnato da un breve e generico ringraziamento che lascia interdetti gli occidentali che l'hanno portato. Ma se in Giappone la confezione è parte integrante (e fortemente significativa come si è detto) del regalo, in Germania fiori e confezione collidono:

15 regalare fiori con il cellophane intorno è offensivo: esiste un filmato in cui il celebre pianista Richter, al teatro la Fenice di Venezia, butta stizzito dentro la "coda" del pianoforte un mazzo di fiori consegnatogli con la carta intorno...
I regali costituiscono un importante mezzo di comunicazione sia intimo (regalare fiori è dovunque "rischioso"), sia ufficiale (i regali con marchio aziendale sono graditi in molte culture, ma "poco fini"
20 in Italia), sia sociale, in occasione di inviti a cene ecc. La tendenza internazionale è sempre di più quella di aprire il regalo, soprattutto se si tratta di un pacchetto, per comunicare il fatto che è stato gradito; ma in Germania la gestione del regalo è un po' peculiare: arrivare a una cena con vino e dolci è in qualche modo poco educato e sembra indicare il timore che l'ospite non abbia preparato dolci o predisposto vino: quindi i regali culinari non verranno aperti.
25 Di solito chi fa un regalo ne attenua retoricamente il valore affermando che "è solo un pensiero", al che chi lo riceve ribatte altrettanto retoricamente che "non doveva disturbarsi" e si profonde in lodi di ciò che ha ricevuto (questa coppia di battute abbastanza diffuse ovunque è assolutamente di rigore nel mondo ispanico). Fanno eccezione gli americani che esprimono l'apprezzamento per una persona attraverso il valore del regalo e che quindi spesso parlano del costo o lasciano l'etichetta con
30 il prezzo (anche se si tratta di una tendenza che negli ambienti più internazionalizzati sta scomparendo).

da Paolo Balboni, "Parole comuni culture diverse", Ed. Marsilio, 1999

3. ***Cerca nel riquadro i due sinonimi delle parole elencate sotto.***

indispensabile	riduce	eleganti	senza parole	necessaria
sono in contrasto	diminuisce	si scontrano	disorientati	raffinati

interdetti *r. 13* ....
collidono *r. 14* ....
fini *r. 19* ....
attenua *r. 25* ....
di rigore *r. 27* ....

4. ***Sondaggio. Devi scrivere un articolo sul tema "L'arte del regalo nel mondo". Intervista i compagni poi scrivi l'articolo sviluppando alcuni di questi punti.***

❑ Regali da evitare
❑ Regali per uomini, donne e bambini
❑ L'importanza del pacchetto
❑ Valore del regalo
❑ Occasioni speciali
❑ Contraccambiare
❑ L'apertura del regalo
❑ Il biglietto
❑ Formule e rituali del dare e del ricevere

5. ***Rebus. A squadre, risolvete il rebus che vi darà l'insegnante (è a pag. 133).***

1. *Prova a pensare a una parola che accomuna tutte queste.*

PALO
DINAMITE
IMPRONTE
COMBINAZIONE
MALLOPPO
ARRESTARE
COLPO
SCASSINARE
COMPLICE
PRIGIONE
ALLARME
PIANO
MANETTE
IDENTIKIT
CASSAFORTE
GIALLO
GUANTI
ALIBI

Unità 24

2. *Leggi il testo e le didascalie e prova a risolvere il caso. Quando hai finito confrontati con i compagni.*

IL BLOCCO ENIGMISTICO

IL FURTO DEI GIOIELLI

Mario Redi: ex-lottatore detto Barba di Ferro.

Marco Rosi: audace e pericoloso ladro.

Gino Pani: pregiudicato dal tristo passato.

Aldo Sodo: pregiudicato, sorvegliato dalla P.S.

Mauro Neri: pataccaro, detto il mancino.

L'ispettore Nick Pasticca, incaricato di scoprire l'autore di un furto perpetrato ai danni di un gioielliere, seguendo le informazioni avute da un confidente, visita l'abitazione del presunto colpevole. Ma quando entra nella camera il ladro è già scappato portando con sé il bottino. Osservando la camera, l'ispettore nota che il ladro nella fretta ha dimenticato alcuni oggetti. Egli fa allora rintracciare dai suoi uomini i sei individui qui fotografati, gli unici possibili autori del furto. Tutti protestano la loro innocenza, tuttavia l'ispettore fa arrestare l'unico che poteva realmente alloggiare in quella camera. **Chi ha fatto arrestare?**

Alì Mohammed: arabo, trafficante di gioielli.

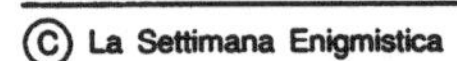

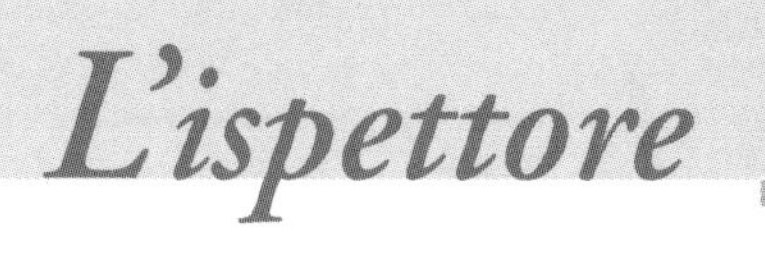

3. ***Leggendo il testo hai notato delle parole che si possono aggiungere a quelle dell'attività 1?***

4. ***Trova nel testo le parole che hanno questi significati, come nell'esempio.***

significato	parola del testo
commesso, compiuto	*perpetrato*
informatore della polizia	
probabile	
trovare dopo una ricerca	
dichiarano	
abitare	

5. ***Di' a che cosa o a chi si riferiscono i participi passati poi trasformali in frasi relative esplicite (che...), come nell'esempio.***

participio passato	si riferisce a	frase relativa esplicita
incaricato	*l'ispettore Nick Pasticca*	*che è stato incaricato*
detto		
sorvegliato		
perpetrato		
avute		
fotografati		

6. ***Dopo aver completato il testo con gli oggetti presenti nel disegno puoi avere la soluzione del caso.***

Cognac - fiammiferi - guanti - pennello da barba - pettine

In base agli oggetti dimenticati nella camera, si può stabilire che: il ____________ elimina l'uomo barbuto; il ____________ esclude il calvo; i ____________ non possono appartenere al mutilato; i ____________ strappati dalla destra scartano il mancino; e, infine, il ____________ mette fuori causa l'arabo (la sua religione gli vieta di bere alcolici). Il ladro, quindi, dev'essere il solo individuo non eliminato, possessore di tutti gli oggetti dimenticati.

7. ***Il gioco del bottino nascosto. Gioca in coppia con un compagno. Attenzione: devi leggere solo le tue istruzioni!***

studente A
Sei il complice di Aldo Sodo. Vai a trovarlo in prigione e gli chiedi dove ha nascosto il bottino. Le guardie vi stanno controllando. Cerca di capire dov'è in base a quello che ti dice.

studente B
Le istruzioni per lo studente B sono a pag. 129.

8. ***Ascolta la musica che ti propone l'insegnante. Prova a immaginare la scena di un thriller e insieme ai tuoi compagni scrivi un testo definendo dettagliatamente l'ambientazione, i personaggi e la situazione (le istruzioni sono a pag. 129).***

Maschio/Femmina

livello 4

1. *Leggi l'articolo e scegli l'affermazione che meglio esprime il contenuto del testo.*

A	Al giorno d'oggi l'opposizione maschio/femmina è ormai superata	❑
B	I termini maschio/femmina assumono significati diversi col passare degli anni	❑
C	Oggi i termini maschio/femmina vengono usati solo con una connotazione negativa	❑

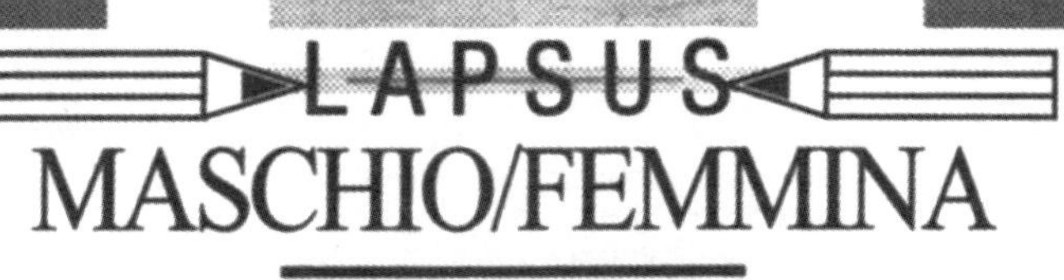

LAPSUS

MASCHIO/FEMMINA

STEFANO BARTEZZAGHI

La lingua dei bambini (o anche la lingua di quando eravamo bambini) è perduta per sempre e non si può reimparare. E' però possibile osservare quel che abbiamo perduto, pur senza rimpiangerlo troppo.

Una parola come maschio, una parola come femmina per i bambini sono termini tecnici. Servono per nominare due territori distinti e confinanti. Normalmente le frontiere sono aperte, ma ci sono momenti in cui i maschi stanno con i maschi e le femmine con le femmine, il composto si separa come l'olio dall'acqua. Dato che il mondo è vario, ci sono poi maschi di lacrima facile che si dicono «femminucce» e femmine calciatrici, riottose a vestiti, gonne e peluche che sono «maschiacci».

A una certa età si diventa ragazzi e ragazze, e non si è più «maschio» o «femmina», se non per i dizionari. Nel linguaggio adulto, e bene che vada, maschio e femmina sono nomi di viti e bulloni da ferramenta. Il più delle volte va male, e «maschio» e «femmina» designano non due generi ma le loro caricature: non il maschio e la femmina, ma il macho e la micia.

da "La Repubblica"

2. *Rileggi il testo e collega le parole di sinistra con quelle di destra.*

da piccoli	non si usano più i termini maschio/femmina
da ragazzi	l'opposizione maschio/femmina è un concetto semplice che indica differenza di genere
da adulti	i due termini vengono utilizzati spesso con un doppio senso

Unità 25

3. *Leggi le definizioni dal dizionario. Quali di questi significati ritrovi nel testo? Sottolineali nell'articolo con colori diversi.*

Femmina. 1- Ogni essere vivente che può essere fecondato dal maschio e generare così nuove vite. **2**- Persona di sesso femminile, donna. **3**- Pezzo di un meccanismo o di un arnese predisposto, per la forma cava, ad accogliere il pezzo complementare detto maschio. **4**- *In funzione di agg.* Dotata di femminilità; desiderabile, attraente. **5**- Detto di animale, che è di sesso femminile.

LAPSUS

MASCHIO/FEMMINA

STEFANO BARTEZZAGHI

La lingua dei bambini (o anche la lingua di quando eravamo bambini) è perduta per sempre e non si può reimparare. E' però possibile osservare quel che abbiamo perduto, pur senza rimpiangerlo troppo.

Una parola come maschio, una parola come femmina per i bambini sono termini tecnici. Servono per nominare due territori distinti e confinanti. Normalmente le frontiere sono aperte, ma ci sono momenti in cui i maschi stanno con i maschi e le femmine con le femmine, il composto si separa come l'olio dall'acqua. Dato che il mondo è vario, ci sono poi maschi di lacrima facile che si dicono «femminucce» e femmine calciatrici, riottose a vestiti, gonne e peluche che sono «maschiacci».

A una certa età si diventa ragazzi e ragazze, e non si è più «maschio» o «femmina», se non per i dizionari. Nel linguaggio adulto, e bene che vada, maschio e femmina sono nomi di viti e bulloni da ferramenta. Il più delle volte va male, e «maschio» e «femmina» designano non due generi ma le loro caricature: non il maschio e la femmina, ma il macho e la micia.

Maschio. 1- Animale o essere umano in grado di fecondare la femmina nel processo riproduttivo. **2**- Ragazzo, uomo. **3**- La torre principale, la parte più elevata e fortificata di un castello o di una fortezza. **4**- Pezzo di un congegno che va a incastrarsi nella cavità corrispondente di un altro pezzo. **5**- *In funzione di agg.* Di sesso maschile. **6**- Virile, forte, energico.

4. *Prova a spiegare l'espressione evidenziata.*

Dato che il mondo è vario, ci sono poi maschi di lacrima facile che si dicono «femminucce» e femmine calciatrici riottose a vestiti, gonne e peluche che sono «maschiacci.»
(riga 10-13)

5. ***Dopo aver letto la frase del testo completa il messaggio.***

Nel linguaggio adulto, e bene che vada, maschio e femmina sono nomi di viti e bulloni da ferramenta. *(riga 15)*

Scusa se non ti ho aspettato per la colazione
ma ho un sacco di cose da fare in ufficio.
Anche stasera farò tardi perché ho un
appuntamento alle 7 e poi ho
il corso di yoga.
Bene che vada ....

Baci
Ale

6. ***Pensa alla tua identità più profonda. Che cosa ha contribuito a formarla?***

Hai pensato anche alla differenza di genere? È importante per te? Confrontati con i compagni.

7. ***Nella tua lingua ci si rivolge ai bambini con delle parole particolari? Parlane in classe.***

Telecamere

livello 4

1. *Guarda la foto e rispondi.*

È...

- ❑ un oggetto
- ❑ un amico
- ❑ un nemico

2. *Leggi il testo e prova a scrivere il sottotitolo.*

SPETTACOLI STRETTAMENTE SORVEGLIATI

Aveva visto giusto il Lucarelli di *Almost Blue*: la cittadella universitaria di Bologna è luogo di intrighi e profondi misteri. E a dimostrazione di questo sta senz'altro la solerzia dimostrata degli apparati di pubblica sicurezza cittadini, che hanno infarcito di telecamere di sorveglianza le vie che conducono alla zona degli atenei. La denuncia arriva dai Surveillance camera players (Scp), un gruppo di performer bolognesi costituito nel maggio dell'anno scorso sulla scia dei fondatori nati a New York nel '96. Cricche di attori anarcoidi, che in tutto il mondo inscenano azioni recitate di fronte a questi occhi indiscreti per protestare contro la privacy violata, contro il Grande Fratello strisciante e onnivoro ma (purtroppo) largamente accettato. E i primi casini non hanno tardato a venire considerato che - come loro stessi ci hanno riferito - hanno recentemente costretto il rettore a eliminare le telecamere piazzate nella biblioteca di Scienze umanistiche di via Zamboni 36, furbescamente nascoste dietro i neon verdi che indicavano le uscite di sicurezza. Vittoria! Ma se questo è stato un blitz "investigativo", non va dimenticata la natura artistica e non violenta della loro ispirazione. Che ha raggiunto il suo culmine quando hanno inscenato di fronte alla telecamera digitale nascosta in piazza Verdi - capace di una visione a 360 gradi e predisposta ad accogliere il software per il riconoscimento facciale - "la morte dello studente", con un universitario che fingeva di soffocare dentro lo schermo di una tv. Così i guardiani hanno avuto qualcosa da guardare. Ma poco da reprimere.

RAFFAELE PANIZZA

da "Urban"

3. ***Sottolinea nel testo le parole e le frasi in cui è più evidente l'opinione del giornalista. Secondo te da che parte sta?***

4. ***Le seguenti definizioni spiegano il significato più comune di queste parole; nel testo però assumono un'accezione metaforica. Quale? Parlane con un compagno. Alla fine controlla nel dizionario e scrivila qui sotto.***

Infarcire - **1**. v.tr. gastr. Imbottire una vivanda, anche con specificazione del ripieno usato: *i. l'anatra con castagne lesse e aromi.* **2**. ----------------
----

Strisciante - **1**. Che striscia, in zoologia detto di rettili. **2**. ------
----

Onnivoro - **1**. Che mangia qualsiasi cibo. **2**. ----------------
----

Queste parole sono utili per chiarire meglio l'opinione del giornalista? Parlane in classe.

5. ***Secondo te questo articolo a che tipo di lettore si rivolge? Perché?***

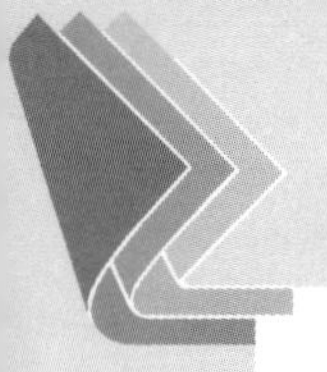

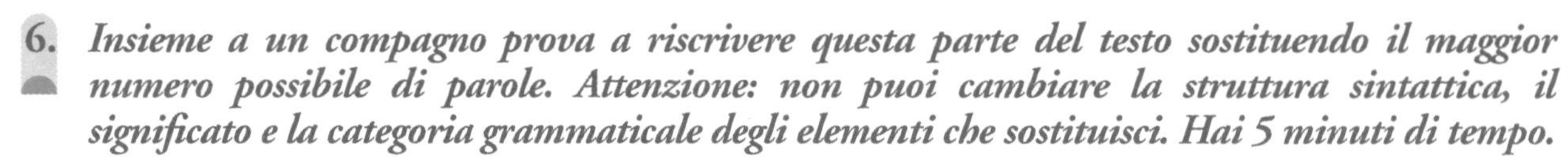

6. *Insieme a un compagno prova a riscrivere questa parte del testo sostituendo il maggior numero possibile di parole. Attenzione: non puoi cambiare la struttura sintattica, il significato e la categoria grammaticale degli elementi che sostituisci. Hai 5 minuti di tempo.*

E i primi casini non hanno tardato a venire considerato che - come loro stessi ci hanno riferito - hanno recentemente costretto il rettore a eliminare le telecamere piazzate nella biblioteca di Scienze umanistiche di via Zamboni 36...

7. *Fai parte di un gruppo di studenti che protestano contro la presenza di telecamere in università. Inventa uno slogan.*

8. *L'utilizzo di telecamere ti sembra efficace per risolvere il problema della sicurezza nelle città? Parlane in classe.*

9. ***Ricordi questo articolo? Da alcune righe è stata tolta una parola. Inseriscila come nell'esempio.***

SPETTACOLI STRETTAMENTE SORVEGLIATI

Aveva visto il Lucarelli di Almost Blue: la cittadella	**giusto**
universitaria di Bologna è luogo di intrighi e profondi misteri.	
E dimostrazione di questo sta senz'altro la solerzia dimostrata	**a**
dagli apparati di pubblica sicurezza cittadini, hanno infarcito di	**che**
telecamere di sorveglianza le vie che conducono alla zona degli	
atenei. La denuncia arriva dai Surveillance camera players (Scp),	
un gruppo di performer bolognesi costituito nel maggio dell'anno	
scorso sulla scia dei fondatori nati a New York nel '96.	
Cricche di attori anarcoidi, che in tutto il mondo inscenano azioni	
recitate di fronte occhi indiscreti per protestare contro la privacy	**a**
violata, contro il Grande Fratello strisciante e onnivoro ma (purtroppo)	
largamente accettato. E i primi casini hanno tardato a venire	**non**
considerato - come loro stessi ci hanno riferito - hanno	**che**
recentemente costretto il rettore a eliminare le telecamere piazzate	
nella biblioteca di Scienze umanistiche di via Zamboni 36,	
furbescamente nascoste dietro i neon verdi indicavano	**che**
le uscite di sicurezza. Vittoria!	
Ma questo è stato un blitz "investigativo", non va dimenticata	**se**
la natura artistica e non della loro ispirazione. Che ha	**violenta**
raggiunto il suo culmine quando hanno inscenato di fronte	
alla telecamenra digitale nascosta in piazza Verdi - capace di	
una visione a 360 gradi predisposta ad accogliere il software	**e**
per il riconoscimento facciale - "la morte dello studente", con	
un universitario che fingeva di soffocare lo schermo di una tv.	**dentro**
Così i guardiani hanno avuto qualcosa da guardare. Ma da reprimere.	**poco**

Unità 26

Accordo di nozze

livello 4

1. *Osserva questi due oggetti. Che rapporto hanno con la tua idea di matrimonio?*

2. *Dal testo della pagina accanto mancano le seguenti parti. Inseriscile e poi confrontati con un compagno motivando le tue ipotesi. Attenzione: le parti da inserire sono in ordine.*

1. Qualche vip li imitò negli anni seguenti.

2. Un'idea difficile da accettare soprattutto per noi latini, portati per questioni culturali a essere piuttosto impulsivi e passionali e a collegare l'idea di amore alla spontaneità del desiderio.

3. Dunque solo il 25% ha successo.

4. Ora il costume è cambiato, ma è comunque molto difficile dal punto di vista psicologico accettare che un legame su cui oggi basiamo la nostra vita domani possa spezzarsi.

5. Si litiga?

1 A chi tocca buttare la spazzatura. Chi dovrà accompagnare gli eventuali figli a scuola. Chi laverà i piatti, chi passerà l'aspirapolvere, e quante volte si farà l'amore. La nuova legge
5 sui contratti prematrimoniali entrata in vigore da quest'anno in Australia, di cui i giornali hanno parlato qualche settimana fa, dà la possibilità di stabilire prima di sposarsi non solo gli aspetti economici del legame, ma
10 anche tutto quello che riguarda lo stile di vita della coppia. Chi non rispetta le norme sottoscritte potrà essere punito a norma di legge.
L'analisi. I primi a suscitare scalpore in tema
15 di contratti prematrimoniali furono Jackie Kennedy e Aristotelis Onassis: anche loro avevano stabilito non solo quanti soldi spettassero a Jackie in caso di separazione, ma anche molti altri dettagli, compresa la
20 frequenza dei rapporti sessuali.
Ma si continuò comunque a pensare che il contratto prematrimoniale fosse soltanto una stranezza d'alto bordo, confinata all'ambiente dorato dei ricchi e famosi. La nuova legge
25 australiana la trasporta invece nella quotidianità. Chiunque può decidere di regolare non solo l'aspetto economico del matrimonio e della eventuale separazione, ma anche l'affetto e il modo di esternarlo. Si può
30 stabilire quando avere un rapporto sessuale e secondo quali modalità, persino in quali parti del corpo essere toccati e quante volte. Con un contratto che ha valore pubblico e legale. Una novità del genere non può che cambiare
35 il costume e i comportamenti della coppia. Si accetta di dare un ritmo stabile ai sentimenti, che devono rispettare condizioni scritte perdendo in questo modo tutta la loro imprevedibilità a favore di un'inevitabile
40 monotonia.
Considero giusto e corretto stabilire in anticipo le condizioni economiche del matrimonio: se una donna, per esempio, decide d'accordo con il marito di non lavorare
45 per potersi occupare meglio della casa e della famiglia, ha tutto il diritto di non essere poi considerata dal compagno come una che si fa mantenere. Come è giusto e pratico stabilire prima l'aspetto economico di un'eventuale
50 separazione. Ma questa regolamentazione dei sentimenti mi sembra inaccettabile. Anche nella stessa Australia è stata criticata. Eppure, forse, agli anglosassoni appare meno assurda che a noi italiani. Le statistiche dicono che tra
55 loro il 50% dei matrimoni si spezza dopo sette anni; che la metà degli altri continua a stare in piedi solo per questioni pratiche: la casa, le spese, i figli. Considerate le cifre è persino comprensibile che si cerchi con ogni mezzo di
60 frenare questo consumismo dei sentimenti. Per una ragione soprattutto: la paura della solitudine. Una volta il matrimonio era uno dei legami alla base delle proprie sicurezze. Poteva succedere di tutto (o quasi) ma si
65 continuava a stare insieme. E così anche regole assurde possono sembrare un sistema per farlo durare. Lei mi lascia solo? Il contratto dice che non può farlo. Di nuovo il contratto aiuta a risolvere la questione. Una
70 soluzione illusoria e molto triste, comunque. Spiegabile solo in situazioni di minimalismo affettivo perché la sostituzione dei legami sentimentali con quelli contrattuali assomiglia tanto a un assegno di sopravvivenza per amori
75 già languenti sul nascere.

3. *Prova a sintetizzare l'opinione dello psichiatra, poi scrivila nel riquadro centrale.*

info / il caso di vittorino andreoli

PSICHIATRA E SCRITTORE

FOTO DI MASSIMO MARSON

Quante volte, AMORE mio?

Dal numero dei rapporti alle incombenze quotidiane: la nuova legge australiana sui contratti prematrimoniali permette di stabilire regole su tutto. Cambiando i comportamenti di coppia

1 **a** chi tocca buttare la spazzatura. Chi dovrà accompagnare gli eventuali figli a scuola. Chi laverà i piatti, chi passerà l'aspirapolvere, e quante volte si farà l'amore. La nuova legge sui contratti prematri-
5 moniali entrata in vigore da quest'anno in Australia, di cui i giornali hanno parlato qualche settimana fa, dà la possibilità di stabilire prima di sposarsi non solo gli aspetti economici del legame, ma anche tutto quello che riguarda lo stile di vita della
10 coppia. Chi non rispetta le norme sottoscritte potrà essere punito a norma di legge.
L'analisi. I primi a suscitare scalpore in tema di contratti prematrimoniali furono Jackie Kennedy e Aristotelis Onassis: anche loro
15 avevano stabilito non solo quanti soldi spettassero a Jackie in caso di separazione ma anche molti altri dettagli, compresa la frequenza dei rapporti sessuali. Qualche vip li imitò negli anni seguenti.
20 Ma si continuò comunque a pensare che il contratto prematrimoniale fosse soltanto una stranezza d'alto bordo, confinata all'ambiente dorato dei ricchi e famosi. La nuova legge australiana la tra-
25 sporta invece nella quotidianità. Chiunque può decidere di regolare non solo l'aspetto economico del matrimonio e della eventuale separazione, ma anche l'affetto e il modo di esternarlo. Si può stabilire quando avere un rappor-
30 to sessuale e secondo quali modalità, persino in quali parti del corpo essere toccati e quante volte. Con un contratto che ha valore pubblico e legale.
Una novità del genere non può che cambiare il costume e i comportamenti della coppia. **Si accetta di
35 dare un ritmo stabile ai sentimenti, che devono rispettare condizioni scritte perdendo in questo modo tutta la loro imprevedibilità** a favore di un'inevitabile monotonia. Un'idea difficile da accettare soprattutto per noi latini, portati per questioni culturali
40 a essere piuttosto impulsivi e passionali e a collegare l'idea di amore alla spontaneità del desiderio.
Considero giusto e corretto stabilire in anticipo le condizioni economiche del matrimonio: se una donna, per esempio, decide d'accordo con il marito di non lavorare per potersi occupare meglio 45
della casa e della famiglia, ha tutto il diritto di non essere poi considerata dal compagno come una che si fa mantenere. Come è giusto e pratico stabilire prima l'aspetto economico di un'eventuale separazione. Ma questa regolamentazione dei 50
sentimenti mi sembra inaccettabile. Anche nella stessa Australia è stata criticata. Eppure, forse, agli anglosassoni appare meno assurda che a noi italiani. Le statistiche dicono che tra loro il 50 per 55
cento dei matrimoni si spezza dopo sette anni; che la metà degli altri continua a stare in piedi solo per questioni pratiche: la casa, le spese, i figli. Dunque solo il 25 per cento ha suc- 60
cesso. Considerate le cifre è persino **comprensibile che si cerchi con ogni mezzo di frenare questo consumismo dei sentimenti**. Per una ragione, soprattutto: la paura della solitudine. Una 65
volta il matrimonio era uno dei legami alla base delle proprie sicurezze. Poteva succedere di tutto (o quasi) ma si continuava a stare insieme. Ora il costume è cambiato, ma è comunque molto difficile dal punto di vista psicolgico accettare che un 70
legame su cui oggi basiamo la nostra vita domani possa spezzarsi. E così anche regole assurde possono sembrare un sistema per farlo durare. Lei mi lascia solo? Il contratto dice che non può farlo. Si litiga? Di nuovo il contratto aiuta a risolvere 75
la questione. Una soluzione illusoria e molto triste, comunque. Spiegabile solo in situazioni di minimalismo affettivo. Perché la sostituzione dei legami sentimentali con quelli contrattuali assomiglia tanto a un assegno di sopravvivenza per amori già 80
languenti sul nascere.

da "Il Corriere della Sera, Io donna"

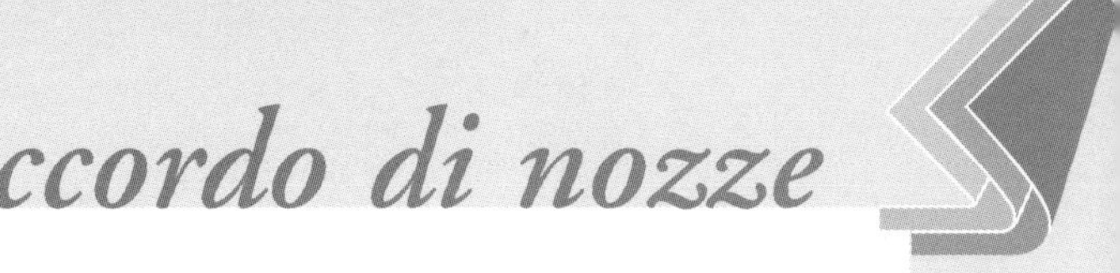

4. ***Trova nel testo dell'attività 3 le parole o espressioni che hanno questi significati.***

riga	parola o espressione	significato
da riga 1 a riga 11		secondo la legge
da riga 12 a riga 24		scandalizzare
da riga 12 a riga 24		di condizione sociale elevata
da riga 72 a riga 81		in crisi fin dall'inizio

5. ***Prova a precisare il significato di queste espressioni:***

ha tutto il diritto di *(riga 46)*: ______________________________

stare in piedi *(riga 58)*: ______________________________

6. ***Rileggi il testo e sottolinea da una a tre parole che esprimono meglio la tua idea di matrimonio. Parlane in classe.***

7. ***Gioco. Le elezioni dell'amore (le istruzioni sono a pag. 130).***

8. ***Compila la scheda e scegli il tuo partner. Poi scrivete insieme il vostro contratto prematrimoniale (le istruzioni sono a pag. 130).***

nome	
età	
professione	
mi piace	
non mi piace	

Amilcare Carruga

livello 4

1. ***Le cose che cambiano la vita... Scrivile nel vento e poi parlane con un compagno.***

2. ***Leggi il testo. Che cosa è successo ad Amilcare Carruga? Fai delle ipotesi e parlane con un compagno.***

Amilcare Carruga era ancora giovane, non sprovvisto di risorse, senza esagerate ambizioni materiali o spirituali: nulla gli impediva, dunque, di godere la vita. Eppure s'accorse che da un po' di tempo questa vita per lui andava, impercettibilmente, perdendo sapore. Cose da niente: come, per esempio, il guardare le donne per la strada; una volta usava buttare loro gli occhi addosso, avido; adesso magari faceva istintivamente per guardarle, ma subito gli pareva che scorressero via come un vento, senza dargli nessuna sensazione, e allora abbassava indifferente le palpebre. Le città nuove, una volta lo esaltavano - viaggiava spesso, essendo nel commercio -, adesso ne avvertiva solo il fastidio, la confusione, il disorientamento. Prima la sera usava - vivendo solo - andare sempre al cinema: ci si divertiva, qualunque spettacolo ci fosse; chi ci va tutte le sere è come se vedesse un unico grande film in continuazione: conosce tutti gli attori, anche le macchiette e i generici, e già questo di riconoscerli ogni volta è divertente. Ebbene: anche al cinema, adesso, tutte queste facce gli parevano diventate scialbe, piatte, anonime; s'annoiava.

Alla fine capì.

3. ***Scoprilo leggendo il testo. Quali elementi potevano aiutarti?***

Era lui che era miope. L'oculista gli ordinò un paio di occhiali.

4. ***Adesso leggi tutto il testo aiutandoti con il dizionario e sottolinea con colori diversi le parole o le espressioni che indicano i diversi modi di vedere di Amilcare.***

1 Amilcare Carruga era ancora giovane, non sprovvisto di risorse, senza esagerate ambizioni materiali o spirituali: nulla gli impediva, dunque, di godere la vita. Eppure s'accorse che da un po' di tempo questa vita per lui andava, impercettibilmente, perdendo sapore. Cose da niente:
5 come, per esempio, il guardare le donne per la strada; una volta usava buttare loro gli occhi addosso, avido; adesso magari faceva istintivamente per guardarle, ma subito gli pareva che scorressero via come un vento, senza dargli nessuna sensazione, e allora abbassava indifferente le palpebre. Le città nuove, una volta lo esaltavano -
10 viaggiava spesso, essendo nel commercio -, adesso ne avvertiva solo il fastidio, la confusione, il disorientamento. Prima la sera usava - vivendo solo - andare sempre al cinema: ci si divertiva, qualunque spettacolo ci fosse; chi ci va tutte le sere è come se vedesse un unico grande film in continuazione: conosce tutti gli attori, anche le
15 macchiette e i generici, e già questo di riconoscerli ogni volta è divertente. Ebbene: anche al cinema, adesso, tutte queste facce gli parevano diventate scialbe, piatte, anonime; s'annoiava.

Alla fine capì. Era lui che era miope. L'oculista gli ordinò un paio di occhiali. Da quel momento la sua vita cambiò, divenne cento volte
20 più ricca d'interesse di prima.

Già l'inforcare gli occhiali era ogni volta un'emozione. Si trovava mettiamo a una fermata del tram, e lo prendeva la tristezza che tutto, persone e oggetti intorno, fosse così generico, banale, logoro d'essere com'era, e lui lì ad annaspare in mezzo a un molle mondo di forme e
25 di colori quasi sfatti. Si metteva gli occhiali per leggere il numero di un tram che arrivava, e allora tutto cambiava; le cose più qualsiasi, anche un palo della corrente, si disegnavano con tanti minuti particolari, con linee così nitide, e le facce, le facce sconosciute, si riempivano ognuna di segnetti, puntini della barba, brufolini, sfu-
30 mature dell'espressione che prima non si sospettavano; e i vestiti si capiva di che stoffa erano fatti, s'indovinava il tessuto, si spiava il logoro degli orli. Guardare diventava un divertimento, uno spettacolo; non il guardare una cosa o l'altra: guardare. Così Amilcare Carruga dimenticava di badare ai numeri dei tram, perdeva una corsa dopo
35 l'altra, oppure saliva su di un tram sbagliato. Vedeva una quantità tale di cose che era come se non vedesse più nulla. Dovette a poco a poco farci l'abitudine, imparare da capo quello che era inutile guardare e quel che era necessario.

da Italo Calvino "L'avventura di un miope", in "Gli amori difficili", Ed. Mondadori, 1993

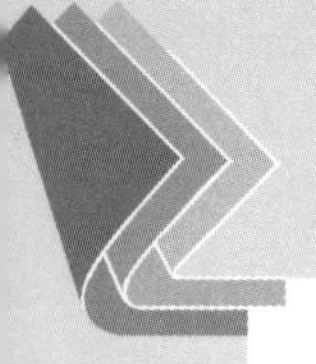

5. ***Adesso scegli, tra quelle che ti darà l'insegnante, delle immagini adatte a rappresentare i diversi modi di vedere di Amilcare (le istruzioni sono a pag. 130).***

6. ***Nel testo ci sono alcuni congiuntivi imperfetti. Da che cosa dipendono?***

riga	congiuntivo	dipende da
7	scorressero	
13	ci fosse	
13	vedesse	
23	fosse	*lo prendeva la tristezza che*
36	vedesse	

7. ***Rappresenta la tua vita con una linea e parlane con un compagno.***

8. ***Rileggi il testo facendo attenzione alle parole evidenziate e alla loro funzione. Poi completa le frasi usando le parole evidenziate. Per ogni parola ci sono due frasi.***

Amilcare Carruga era ancora giovane, non sprovvisto di risorse, senza esagerate ambizioni materiali o spirituali: nulla gli impediva, dunque, di godere la vita. Eppure s'accorse che da un po' di tempo questa vita per lui andava, impercettibilmente, perdendo sapore. Cose da niente: come, per esempio, il guardare le donne per la strada; una volta usava buttare loro gl i occhi addosso, avido; adesso magari faceva istintivamente per guardarle, ma subito gli pareva che scorressero via come un vento, senza dargli nessuna sensazione, e allora abbassava indifferente le palpebre. Le città nuove, una volta lo esaltavano - viaggiava spesso, essendo nel commercio -, adesso ne avvertiva solo il fastidio, la confusione, il disorientamento. Prima la sera usava - vivendo solo - andare sempre al cinema: ci si divertiva, qualunque spettacolo ci fosse; chi ci va tutte le sere è come se vedesse un unico grande film in continuazione: conosce tutti gli attori, anche le macchiette e i generici, e già questo di riconoscerli ogni volta è divertente. Ebbene: anche al cinema, adesso, tutte queste facce gli parevano diventate scialbe, piatte, anonime; s'annoiava.

Alla fine capì. Era lui che era miope. L'oculista gli ordinò un paio di occhiali. Da quel momento la sua vita cambiò, divenne cento volte più ricca d'interesse di prima.

Già l'inforcare gli occhiali era ogni volta un'emozione. Si trovava mettiamo a una fermata del tram...

1. Non hai voluto seguire i miei consigli? ____________: questo è il risultato.
2. Le strade sono intasatissime ____________ tutti prendono la macchina per andare in centro.
3. ____________ il profumo ti mette l'acquolina in bocca.
4. Si può scendere col treno a Rapallo o a Santa Margherita. Se si scende, ____________, a Rapallo, basta prendere l'autobus 73.
5. ____________ la sua faccia mi piace poco....
6. ____________ la chiamava, ma poi non trovava il coraggio di parlarle.
7. I prezzi sono aumentati incredibilmente. Se prima, ____________, spendevi 40 euro per fare la spesa, ora ne spendi almeno 60.
8. L'avevo avvertito che quel ristorante era carissimo ____________ è voluto andarci comunque.
9. ____________ all'inizio può sembrare un po' scontroso ma con il tempo è una persona davvero amabile.
10. Sono stufa delle solite vacanze. ____________: sai cosa ti dico? Quest'anno faccio un viaggio in barca a vela.

Amilcare Carruga

9. *Rileggi il testo dalla riga 1 alla riga 23 e poi riscrivilo scegliendo un altro tra i cinque sensi.*

10. *Passato remoto o imperfetto? Scegli il tempo giusto e completa il testo.*

Amilcare Carruga era ancora giovane, non sprovvisto di risorse, senza esagerate ambizioni materiali o spirituali: nulla gli impediva, dunque, di godere la vita. Eppure [1] ______ che da un po' di tempo questa vita per lui andava, impercettibilmente, perdendo sapore. Cose da niente: come, per esempio, il guardare le donne per la strada; una volta usava buttare loro gli occhi addosso, avido; adesso magari faceva istintivamente per guardarle, ma subito gli pareva che scorressero via come un vento, senza dargli nessuna sensazione, e allora [2] ______ indifferente le palpebre. Le città nuove, una volta lo esaltavano - [3] ______ spesso, essendo nel commercio -, adesso ne avvertiva solo il fastidio, la confusione, il disorientamento. Prima la sera usava - vivendo solo - andare sempre al cinema: ci [4] ______, qualunque spettacolo ci fosse; chi ci va tutte le sere è come se vedesse un unico grande film in continuazione: conosce tutti gli attori, anche le macchiette e i generici, e già questo di riconoscerli ogni volta è divertente. Ebbene: anche al cinema, adesso, tutte queste facce gli parevano diventate scialbe, piatte, anonime; [5] ______.

Alla fine [6] ______. Era lui che era miope.

L'oculista gli [7] ______ un paio di occhiali. Da quel momento la sua vita [8] ______, [9] ______ cento volte più ricca d'interesse di prima.

1 **s'accorse** / **s'accorgeva**
2 **abbassò** / **abbassava**
3 **viaggiò** / **viaggiava**
4 **si divertiva** / **si divertì**
5 **s'annoiava** / **s'annoiò**
6 **capì** - **capiva**
7 **ordinava** - **ordinò**
8 **cambiò** / **cambiava**
9 **diventava** / **divenne**

Il congiuntivo

livello 4

1. *Brainstorming. Insieme ai compagni, prova a dire tutto quello che ti ispira la parola "grammatica".*

La grammatica è...

2. *Leggi la prima parte del messaggio e-mail e completa il "Sender" e il "Subject".*

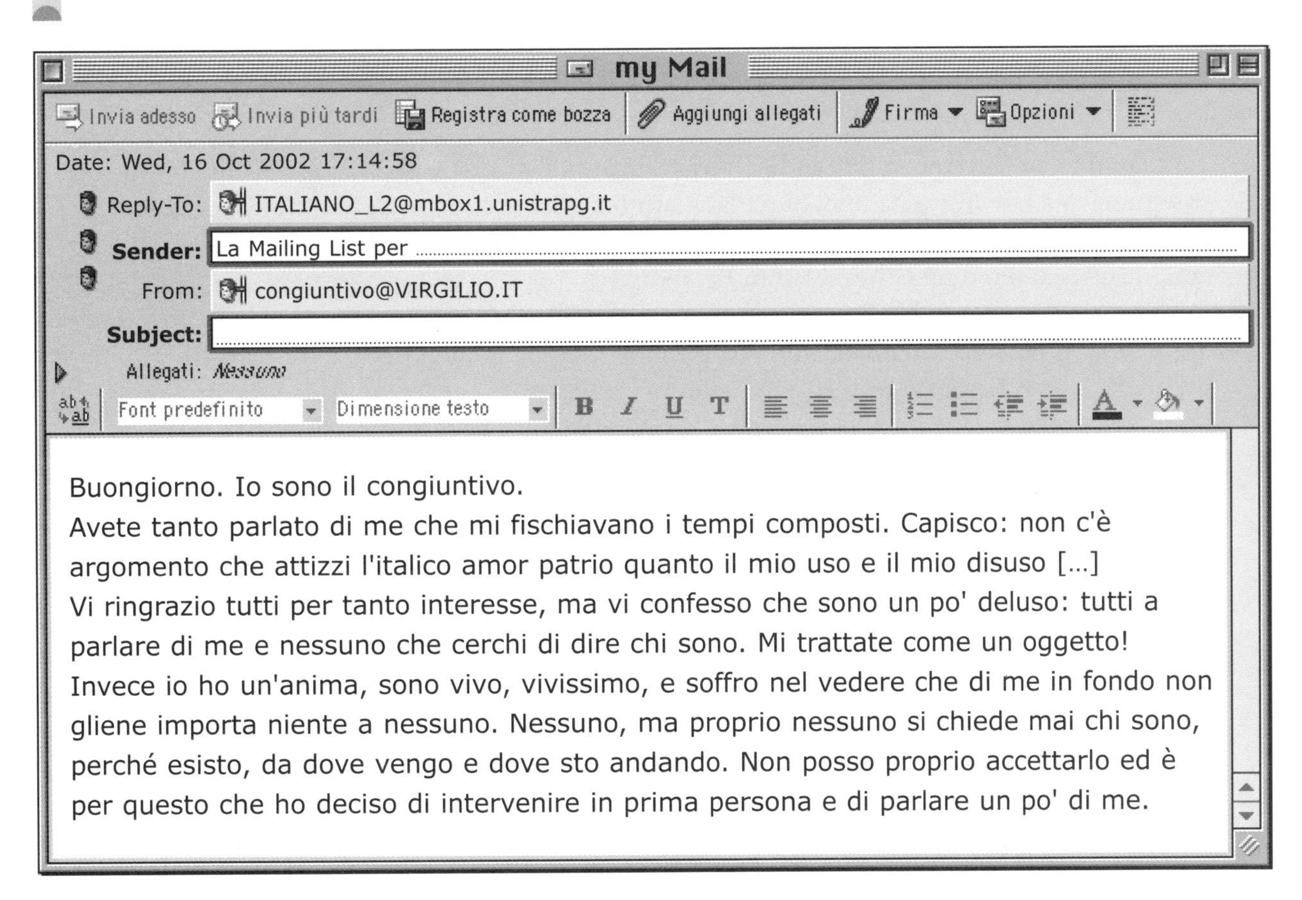

Buongiorno. Io sono il congiuntivo.
Avete tanto parlato di me che mi fischiavano i tempi composti. Capisco: non c'è argomento che attizzi l'italico amor patrio quanto il mio uso e il mio disuso [...]
Vi ringrazio tutti per tanto interesse, ma vi confesso che sono un po' deluso: tutti a parlare di me e nessuno che cerchi di dire chi sono. Mi trattate come un oggetto! Invece io ho un'anima, sono vivo, vivissimo, e soffro nel vedere che di me in fondo non gliene importa niente a nessuno. Nessuno, ma proprio nessuno si chiede mai chi sono, perché esisto, da dove vengo e dove sto andando. Non posso proprio accettarlo ed è per questo che ho deciso di intervenire in prima persona e di parlare un po' di me.

3. *Leggi la seguente affermazione e sottolinea nel testo gli elementi che la giustificano.*

Nel testo che hai appena letto il congiuntivo viene ***personificato***.

Poi completa:

Fare una personificazione vuol dire ______________________________

____

____

Unità 29

Il congiuntivo

4. ***Prosegui con la lettura del messaggio. Di quali aspetti riguardanti l'uso attuale del congiuntivo si parla? Rispondi come nell'esempio.***

1. ~~SÌ~~/NO Il congiuntivo per esprimere un'opinione	2. SÌ/NO Il congiuntivo quando la secondaria viene prima della principale	3. SÌ/NO Il congiuntivo in frasi indipendenti	4. SÌ/NO Il congiuntivo come imperativo di cortesia
5. SÌ/NO Il congiuntivo nel periodo ipotetico	6. SÌ/NO Il congiuntivo con espressioni del tipo *è giusto che, è utile che, è meglio che...*	7. SÌ/NO Il congiuntivo dopo un perché finale	8. SÌ/NO Il congiuntivo quando la secondaria non è introdotta dal "che"

Tanti anni fa ero giovane, molto indipendente, pieno di energia (e decisamente a modo): quante cose riuscivo a fare, tutto da solo! Si parlava latino a quei tempi e io davo ordini, esprimevo desideri, manifestavo opinioni, elargivo concessioni, mi sbizzarrivo, come tutti i giovani, in fantasie e sogni più o meno realizzabili. Bei tempi!
Oggi sono un po' invecchiato (e mi sorprende parecchio che parliate di me come del giovanotto di un tempo: ma non parlate italiano voi? E come vi viene in mente di dire che io esprimo -che so- un'opinione? Ma quando mai? Una volta forse, quand'ero nel pieno della mia virilità...). **1**
Il fatto è che alla mia età, da solo, non me la cavo più tanto bene e -diciamocelo- tiro un po' al risparmio di energie. Oh, un momento: su molti piani sono ancora piuttosto indipendente (fossi matto! Che vi prenda un colpo!). Ma con la pigrizia dell'età per esprimere un'opinione mi sono andato a cercare un verbo di opinione, per esprimere una volontà mi sono cercato un verbo di volontà. Insomma, lo ammetto, ci sono tante situazioni in cui se non c'è qualcuno che mi regge finisce che casco! **1**
È per questo che mentre prima facevo un sacco di cose, oggi, da vecchio saggio che sono, preferisco starmene buono a fare il marcatore di subordinazione.
Intendiamoci: subordinato sì, ma fiero del mio ruolo e pieno di dignità. Mi spiego: se mi regge il verbo "pensare" non è che io mi presti subito a marcare una subordinazione. Eh no, figlioli: mi concedo con parsimonia, io, e solo se servo. C'è gente che dice "penso che oggi è sabato". Ma va benone! Quelli intendono dire solo "oggi è sabato" e attenuano un po' la loro decisione con quel verbo "pensare" che in realtà non significa che stanno pensando qualcosa: significa un banalissimo "fino a prova contraria". E io non mi spreco per questi casi qui. Io mi concedo se uno dice "penso che sia giusto fare questo" e mi concedo solo se quello lì sta davvero pensando. Insomma, io marco una subordinata solo se vale la pena di relazionarmi al verbo reggente! Non ho mica tempi da perdere io! Certo qualche volta mi tocca lavorare anche quando non vorrei. Ci sono per esempio quelli che introducono la secondaria senza il "che": eh, in quei casi non ci sono santi, devo intervenire per forza io a marcare la subordinata: "penso sia sabato" (e qui nessuno usa l'indicativo perché non si capirebbe più niente). **1**
Allo stesso modo fanno quelli che cominciano la frase con la secondaria: "che sia opportuno lo affermo con tutte le mie forze!". Anche qui mi usano in parecchi perché altrimenti c'è il rischio di non capire bene che quella frase lì è subordinata (mentre quando la costruzione della frase mi

aiuta non sto certo a intervenire io: "affermo con tutte le mie forze che è opportuno").
Ma non guardatemi sempre con quella faccia sempre pronta al de profundis! Di cartucce da sparare ne ho ancora parecchie. Alla faccia di chi mi dà per spacciato io sono in perfetta forma, tant'è che non è vero che mi usano solo quelli che parlano bene, ma un po' tutti. E perfino in dialetto. "Tanto pe' canta' -diceva Petrolini- perché ner petto me ce naschi un fiore!". E cos' è quel "naschi"? Ma sono io, certo! Dopo un perché finale se ci metti quel debosciato dell'indicativo cambi tutto il senso della frase, no? Pensaci bene: se preghi perché Silvio sta male significa che ti preoccupi per lui. Ma se preghi perché Silvio stia male...
E mica solo con il perché funziono così. Se penso "Silvio magari un giorno si ammala" metto in conto un'eventualità. Ma se penso "Silvio magari un giorno si ammalasse"...
Insomma, ho la mia età, sono diverso da un tempo, ma (sia ringraziato il cielo) ho ancora un bel ruolo da giocare, ora e in futuro (lo volesse la Madonna!); ma vi prego, non difendetemi più (foste un tantinello sadici?). Sto bene come sto (sia chiaro!). E mi difendo da me (fosse l'ultima cosa che faccio!).

Il Congiuntivo*

5. ***Come sai, spesso i messaggi e-mail sono scritti in una lingua che si avvicina al parlato. Anche in questo caso? Motiva la tua risposta facendo degli esempi.***

6. ***Ora sottolinea nel testo i verbi al congiuntivo e prova a spiegare perché viene usato. La tabella dell'attività 4 può aiutarti.***

7. ***Indicativo/Congiuntivo: cosa ne pensa il Signor Congiuntivo? Rileggi i punti in cui si parla di questo problema. Il tuo insegnante/La tua insegnante è d'accordo con lui? Infine guarda il tuo libro di testo e cerca di capire come affronta il problema.***

**L'autore è Roberto Tartaglione, direttore della "Scuola d'Italiano", http://web.tiscali.it/Scudit.*

8. ***Nel testo ci sono diverse esclamazioni. Sapresti dire che cosa esprimono quelle evidenziate? Scegli in questa lista:***

nostalgia | desiderio | dissenso | consenso | maledizione | sollievo

Tanti anni fa ero giovane, molto indipendente, pieno di energia (e decisamente a modo): quante cose riuscivo a fare, tutto da solo! Si parlava latino a quei tempi e io davo ordini, esprimevo desideri, manifestavo opinioni, elargivo concessioni, mi sbizzarrivo, come tutti i giovani, in fantasie e sogni più o meno realizzabili. Bei tempi! Oggi sono un po' invecchiato (e mi sorprende parecchio che parliate di me come del giovanotto di un tempo: ma non parlate italiano voi? E come vi viene in mente di dire che io esprimo -che so- un'opinione? Ma quando mai? Una volta forse, quand'ero nel pieno della mia virilità...). Il fatto è che alla mia età, da solo, non me la cavo più tanto bene e -diciamocelo- tiro un po' al risparmio di energie. Oh, un momento: su molti piani sono ancora piuttosto indipendente (fossi matto! Che vi prenda un colpo!). Ma con la pigrizia dell'età per esprimere un'opinione mi sono andato a cercare un verbo di opinione, per esprimere una volontà mi sono cercato un verbo di volontà. Insomma, lo ammetto, ci sono tante situazioni in cui se non c'è qualcuno che mi regge finisce che casco! È per questo che mentre prima facevo un sacco di cose, oggi, da vecchio saggio che sono, preferisco starmene buono a fare il marcatore di subordinazione.

Intendiamoci: subordinato sì, ma fiero del mio ruolo e pieno di dignità. Mi spiego: se mi regge il verbo "pensare" non è che io mi presti subito a marcare una subordinazione. Eh no, figlioli: mi concedo con parsimonia, io, e solo se servo. C'è gente che dice "penso che oggi è sabato". Ma va benone! Quelli intendono dire solo "oggi è sabato" e attenuano un po' la loro decisione con quel verbo "pensare" che in realtà non significa che stanno pensando qualcosa: significa un banalissimo "fino a prova contraria". E io non mi spreco per questi casi qui. Io mi concedo se uno dice "penso che sia giusto fare questo" e mi concedo solo se quello lì sta davvero pensando. Insomma, io marco una subordinata solo se vale la pena di relazionarmi al verbo reggente! Non ho mica tempi da perdere io! Certo qualche volta mi tocca lavorare anche quando non vorrei. Ci sono per esempio quelli che introducono la secondaria senza il "che": eh, in quei casi non ci sono santi, devo intervenire per forza io a marcare la subordinata: "penso sia sabato" (e qui nessuno usa l'indicativo perché non si capirebbe più niente). Allo stesso modo fanno quelli che cominciano la frase con la secondaria: "che sia opportuno lo affermo con tutte le mie forze!". Anche qui mi usano in parecchi perché altrimenti c'è il rischio di non capire bene che quella frase lì è subordinata (mentre quando la costruzione della frase mi aiuta non sto certo a intervenire io: "affermo con tutte le mie forze che è opportuno").

Ma non guardatemi sempre con quella faccia sempre pronta al de profundis! Di cartucce da sparare ne ho ancora parecchie. Alla faccia di chi mi dà per spacciato io sono in perfetta forma, tant'è che non è vero che mi usano solo quelli che parlano bene, ma un po' tutti. E perfino in dialetto. "Tanto pe' canta' -diceva Petrolini- perché ner petto me ce naschi un fiore!". E cos'è quel "naschi"? Ma sono io, certo! Dopo un perché finale se ci metti quel debosciato dell'indicativo cambi tutto il senso della frase, no? Pensaci bene: se preghi perché Silvio sta male significa che ti preoccupi per lui. Ma se preghi perché Silvio stia male...

E mica solo con il perché funziono così. Se penso "Silvio magari un giorno si ammala" metto in conto un'eventualità Ma se penso "Silvio magari un giorno si ammalasse"...

Insomma, ho la mia età, sono diverso da un tempo, ma (sia ringraziato il cielo) ho ancora un bel ruolo da giocare, ora e in futuro (lo volesse la Madonna!); ma vi prego, non difendetemi più (foste un tantinello sadici?). Sto bene come sto (sia chiaro!). E mi difendo da me (fosse l'ultima cosa che faccio!).

9. ***Nella tua lingua ci sono "controversie linguistiche"? Parlane con i compagni.***

Istruzioni per l'insegnante

Istruzioni per l'insegnante

Unità 1 - Promemoria

Attività 4

Il gioco dell'altalena. Gara tra coppie. Gli studenti hanno due minuti per leggere la poesia e memorizzare il maggior numero possibile di parole. Poi hanno tre minuti per scrivere quelle che si possono incastrare nella parola altalena. Vince la coppia che ne scrive di più correttamente.

Attività 7

L'attività si presta ad un confronto interculturale. Gli studenti possono preparare un cartellone riportando i simboli VIVA e ABBASSO e aggiungere i corrispondenti nelle loro lingue. Gli studenti sono invitati a scrivere una lista di cose sotto i rispettivi simboli.

Unità 3 - Altri numeri

Attività 1

L'insegnante divide la classe in due o più squadre. Vince la squadra che completa per prima il cruciverba. Si può usare il dizionario bilingue.

Attività 6

Gioco con la palla. Tutta la classe. Gli studenti si mettono in cerchio. Uno di loro sceglie un numero da 1 a 9 e lo dice a voce alta. Poi lancia la palla a un compagno che deve aggiungere al numero precedente lo stesso numero, e così via.
Es. 2 22 222 ……

Unità 4 - Sole

Attività 11

Per chi non avesse mai giocato a "Strega comanda color", ecco le regole del gioco. Un giocatore fa la strega. Si mette al centro di un cerchio formato dagli altri giocatori e dichiara un colore qualsiasi. A questo punto gli altri giocatori devono correre per toccare qualcosa di quel colore. Il giocatore che viene catturato prima dalla strega prende il suo posto e il gioco ricomincia.

Unità 5 - Gli occhiali giusti

Attività 1

Il gioco delle figure geometriche. Fotocopiare, ritagliare a metà e incollare su cartoncini i disegni delle figure geometriche di pag. 131. Distribuire ad ogni studente un cartoncino con una forma geometrica divisa a metà. Gli studenti devono ricomporle. Le coppie così formate svolgeranno l'attività 2.

Attività 2

L'intruso. Gara a coppie. Cercando nel dizionario gli studenti devono scoprire l'intruso. Vince chi lo trova prima.

Attività 9

Poesia visiva. Accanto a ogni parte del viso lo studente deve scrivere un'immagine-metafora. Es.: occhi: isole dell'oceano.
Con le metafore gli studenti devono costruire una poesia visiva (cfr. l'Autoritratto qui sotto). Alla fine si appendono in classe i disegni.

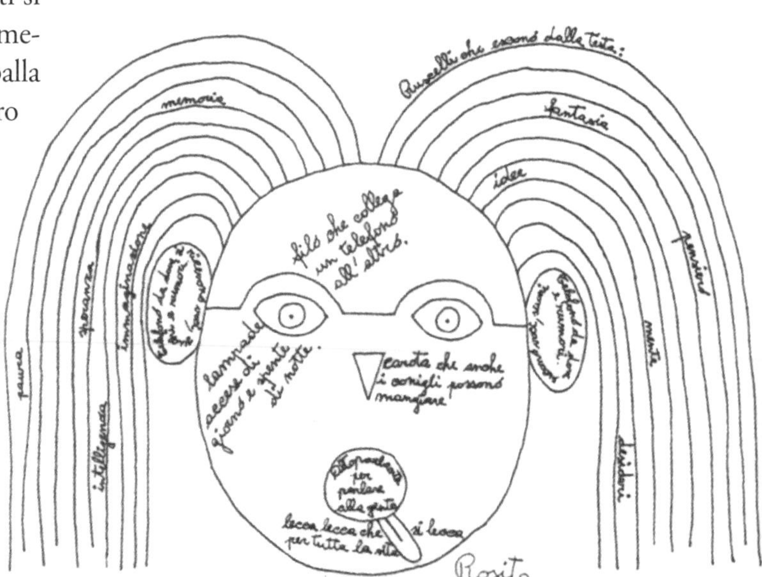

Unità 6 - Padri e figli

Attività 6

Tris. Si divide la classe in due squadre e si attribuisce ad ogni squadra un simbolo (X o 0). Ogni studente di una squadra gioca con uno studente dell'altra squadra. Si lancia una moneta per stabilire qual è la squadra che inizia a giocare. Il primo giocatore deve scegliere una casella e, se nella casella c'è una domanda, deve dare la risposta, se invece nella casella c'è una risposta deve formulare la domanda corrispondente. Ad es. nella casella 1 c'è la risposta "68", lo studente dovrà quindi formulare una domanda del tipo "Quanti anni ha il padre?"
In caso di domanda o risposta esatta il giocatore riporta il suo simbolo nella casella; in caso di domanda o risposta sbagliata la casella viene lasciata libera. Ogni giocatore può contestare la soluzione dell'altro chiedendo conferma all'insegnante. Lo scopo del gioco è quello di completare una fila di caselle (verticale, orizzontale, obliqua). Vince la squadra che ha il maggior numero di vincitori.

Attività 9

Trascrizione a distanza. L'insegnante fa sedere gli studenti lungo una parete e poi attacca sulla parete opposta, di fronte ad ogni studente, un foglio formato A3. Lo scopo del gioco è quello di trascrivere il maggior numero possibile di frasi dopo averle memorizzate.
Prima fase: l'insegnante dà agli studenti 1 minuto per memorizzare una parte del testo. Attenzione: tutti gli studenti devono partire dalla prima parola del testo (*Chiude*) e proseguire memorizzando il maggior numero possibile di parole.
Seconda fase: l'insegnante dice stop e gli studenti lasciano il testo. Hanno 1 minuto di tempo per trascrivere il pezzo di articolo che si ricordano sul foglio appeso alla parete. Poi l'insegnante dice di nuovo stop e gli studenti ritornano al posto. Le fasi 1 e 2 si ripetono per 4 volte. Gli studenti non possono modificare quello che hanno scritto la volta precedente e devono riprendere la trascrizione dall'ultima parola scritta sul foglio.
Terza fase: correzione. Gli studenti confrontano la propria versione con l'originale e correggono gli errori.

Unità 7 - L'astronave

Attività 1

Come alternativa al disegno, si può proporre la visione della prima scena del film *2001: odissea nello spazio* di Stanley Kubrick (che ha come colonna sonora *Il Danubio blu* di Strauss) dicendo agli studenti di sottolineare le parole che si riferiscono alle immagini del film.

Unità 8 - Il tempo

Attività 6

Portare in classe un'ampia scelta di immagini di situazioni, azioni e oggetti di uso quotidiano tratti da riviste. Dividere gli studenti in coppie. Ogni coppia immagina di condividere l'appartamento con il compagno e di dover organizzare una giornata-tipo. Gli studenti disegnano su un foglio A3 un quadrante con le ore. Quindi incollano le immagini portate dall'insegnante in corrispondenza delle diverse ore della giornata, cercando di trovare un accordo sulle cose da fare.

Unità 10 - La cresta

Attività 7

Il testo criptato. Questa attività va proposta a distanza di tempo. Si può giocare a squadre o tutti contro tutti. L'insegnante legge il testo dell'attività 1 almeno 3 volte sostituendo le parole elencate qui sotto con un bip. Gli studenti devono scrivere qual è la parola corrispondente. Vince chi ha accumulato il maggior numero di parole nell'ordine corretto. Alla fine gli studenti ritornano al testo per una verifica.
Le parole sono: **scorsa-lavoro-annuncio-completo-libertà-capelli-porte-faccia-giro-gente-soldi**

Unità 11 - La paghetta

Attività 6

Gli studenti si riuniscono in Consiglio d'Istituto per decidere se introdurre la paghetta nella loro scuola. Assumono ruoli diversi (insegnanti, studenti, genitori, preside, psicologo….).
Per una riuscita efficace dell'attività è importante

che ci sia un'analisi del territorio (bisogni, condizioni socioeconomiche delle famiglie).

Attività 7 e 8
Si consiglia di far fare le attività dopo un po' di tempo. L'obiettivo è quello di far ragionare sulla sintassi attraverso l'analisi della punteggiatura.

Unità 13 - Se la tazza

Attività 1
Dettato poetico. L'insegnante annuncia che leggerà una breve poesia e avvisa che leggerà il testo solo una volta. Gli studenti devono scrivere il maggior numero di parole su un foglio. Quindi suddivide la classe in gruppi di tre. A ogni gruppo distribuisce una delle tre versioni incomplete della poesia (A, B o C) che sono riportate a pag. 132. Ogni gruppo dovrà ricostruire la poesia aiutandosi con le parole scritte e con quelle di una delle versioni fornite dall'insegnante. Al termine di questa fase vengono formati dei nuovi gruppi in modo che in ogni gruppo ci siano tutte e tre le versioni. Alla fine i vari gruppi devono dettare la versione definitiva della poesia all'insegnante (o a un compagno) che la scrive alla lavagna.

Attività 2
Si tratta di associazioni semantiche, fonetiche, grammaticali. Ecco un esempio di associazione semantica e grammaticale.

L'obiettivo è quello di facilitare la comprensione e di evidenziare la ricchezza di relazioni presenti nella poesia.

Attività 3
Il gioco delle doppie. Istruzioni per gli studenti: a squadre, sottolineate nel testo le parole con le doppie, poi chiudete il libro. Avete 45 secondi per scrivere il maggior numero di parole con le doppie che ricordate (ogni parola vale un punto). Vince chi ne ha scritte di più.

Attività 4
Il gioco delle parole cancellate. Dopo aver scritto la poesia alla lavagna l'insegnante chiede agli studenti di leggerla ad alta voce, poi, ad ogni nuova lettura, cancella delle parole e chiede agli studenti di leggere cercando di ricordare le parole cancellate. Così via sino alla fine.

Unità 15 - Prima del bip

Attività 2
Scopri la parola. Gara di velocità a coppie. L'insegnante fornisce oralmente i sinonimi o le definizioni delle 8 parole elencate qui sotto che si trovano nei messaggi *Messaggi importanti*, *Il mago* e *La famiglia teledipendente.* Per ogni parola le coppie hanno un minuto. Se pensano di averla individuata la scrivono su un foglio senza farlo vedere ai compagni. Vince la coppia che ne ha individuate di più. È utile avvisare gli studenti di guardare solo i tre messaggi in questione.

1. (manette)*: oggetto di ferro usato dalla polizia per legare i polsi degli arrestati.
2. (dicerie): parole di poca importanza
3. (incatenato): legato con catene
4. (rientro): ritorno
5. (baule)*: grossa cassa usata per contenere oggetti di vario tipo
6. (tono): modo di parlare
7. (cordiale): gentile
8. (cornetta)*: parte del telefono

**un disegno potrebbe essere più immediato.*

Unità 16 - Una favola americana

Attività 1

Gli studenti hanno 30 secondi per leggere il testo. Poi si confrontano. Seguono altre letture e altri confronti a coppie.

Unità 21 - Melodramma

Attività 3

Far ascoltare alla classe tre brani musicali di genere molto diverso tra loro, ad es. un pezzo di musica jazz, una canzone per bambini, un brano d'opera. Gli studenti dovranno scegliere il brano che secondo loro è più adatto a fare da colonna sonora alla pubblicità, motivando la loro decisione.

Attività 6

Obiettivo dell'attività è la riflessione metalinguistica. A coppie gli studenti devono scegliere nel testo della pubblicità una categoria grammaticale da proporre agli altri compagni sotto forma di cloze.
Ad esempio, se una coppia sceglie di far lavorare i compagni sugli articoli determinativi, li cancella dal testo, fa le fotocopie e chiede ai compagni di inserire gli articoli mancanti.
L'insegnante può decidere se far lavorare tutta la classe sullo stesso cloze o se far scegliere agli studenti su quale argomento grammaticale lavorare, tra quelli proposti. In questo caso si formeranno dei piccoli gruppi di lavoro.
Alla fine gli studenti possono verificare le loro risposte ritornando al testo originale.

Unità 22 - La Costituzione

attività 7

Il gioco della legge scomparsa. Dividere gli studenti in coppie e poi dare a ogni coppia le seguenti istruzioni. "Dovete ricostruire il testo dell'articolo 11 della Costituzione. Uno di voi due lavora sul testo incompleto di pag. 95 e può fare domande al compagno, che ha davanti il testo completo di pagina 93 e che per rispondere può utilizzare la grammatica, i sinonimi, i contrari, le definizioni... ma non le parole del testo".

Unità 24 - L'ispettore

Attività 7

Il gioco del bottino nascosto. Queste sono le istruzioni per lo studente B.

studente B

Devi rivelare al tuo complice dove si trova il bottino. Tu sai che il bottino si trova nell'armadietto n. 47 dell'aeroporto internazionale di Milano, area partenze ma le guardie vi stanno controllando.
Se usi queste parole verrai scoperto:

armadio/armadietto
numero
47
aeroporto/aereo/volare/volo
internazionale/nazionale
Milano/Duomo
area/zona/settore
partenze/partire/arrivi/arrivare

attività 8

Per questa attività si può utilizzare una qualsiasi colonna sonora di thriller.

Unità 25 - Maschio/Femmina

Attività 6

Non si tratta di compilare una carta d'identità ma di riflettere sulla propria specificità come persona e parte di un gruppo. Alla fine dell'attività 6 si possono trascrivere le diverse identità su un cartellone. La parola IO andrà sostituita dal nome di ogni studente.

Attività 7

Per introdurre l'attività l'insegnante può scrivere alla lavagna alcune parole italiane che si usano con i bambini.
Proposta alternativa all'attività 7. Nella tua lingua esiste la differenza di genere? Parlane in classe.

Unità 26 - Telecamere

Attività 2

A titolo d'esempio diamo il sottotitolo originale: "*A Bologna telecamere ovunque. Gli studenti rispondono con qualche performance. Ehi, guardiano, guarda qui che spettacolino!*"

Attività 6

Ecco un esempio di possibile riscrittura:

E i primi **disordini** non hanno tardato ad **arrivare** visto che - come loro stessi ci hanno **raccontato** - hanno recentemente **obbligato** il rettore a **togliere** le telecamere **messe** nella biblioteca di Scienze umanistiche di via Zamboni 36...

Unità 27 - Accordo di nozze

Attività 1

L'attività va svolta in plenum e serve a creare lo spunto per libere associazioni di idee. Le forbici e la corda sono oggetti simbolici e un po' provocatori e in quanto tali possono stimolare diversi punti di vista.

Attività 7

Le elezioni dell'amore. Si divide la classe in due gruppi: giuria e concorrenti. I concorrenti hanno qualche minuto per pensare a un modo romantico per conquistare il cuore della persona amata. Nel frattempo i membri della giuria discutono sui criteri da utilizzare nell'attribuzione del punteggio. A turno ogni concorrente si presenta davanti alla giuria che dovrà scegliere l'idea migliore attribuendo un punteggio da 0 a 10. Vince il concorrente che ha guadagnato più punti.

Attività 8

Ogni studente, dopo aver deciso se essere marito o moglie, deve crearsi una nuova identità e compilare la scheda. Poi si formano le coppie. Ogni coppia deve scrivere il proprio contratto prematrimoniale.

Unità 28 - Amilcare Carruga

Attività 5

Portare in classe delle immagini da far scegliere agli studenti. Per rendere un'immagine sfocata è possibile usare la fotocopiatrice.

Unità 29 - Il congiuntivo

Attività 2

ITALIANO_L2 è una lista di discussione moderata che si propone come forum permanente di dibattito per gli insegnanti di italiano L2; la lista, che ha iniziato la sua attività il 25 novembre 1998, è creata e gestita dall'Università per Stranieri di Perugia (*http://www.unistrapg.it*).

Attività 3

A titolo di esempio diamo la definizione di *personificazione* tratta da: *DISC, Dizionario Italiano Sabatini Coletti, Giunti, 1997.*

Personificazione: attribuzione a esseri animati e inanimati della natura, di modi, forme, fattezze umane.

Unità 5 - Gli occhiali giusti
Attività 2

QUADR ATO

RETTA NGOLO

O VALE

Materiali fotocopiabili

Unità 13 - Se la tazza

Attività 1

A

darai
piace,

farai.

ha

riflette

è

B

tazza mi
mi tazza
manico
ragazza,
tu mi

manico colore
tè
turchino
cielo
te.

C

Se la
che la mia
con il marrone,
gentilissima
felice

Il suo il
del più vivo e ricco
ma anche il
del leggero se
leggero come

Unità 23 - Regali
Attività 5

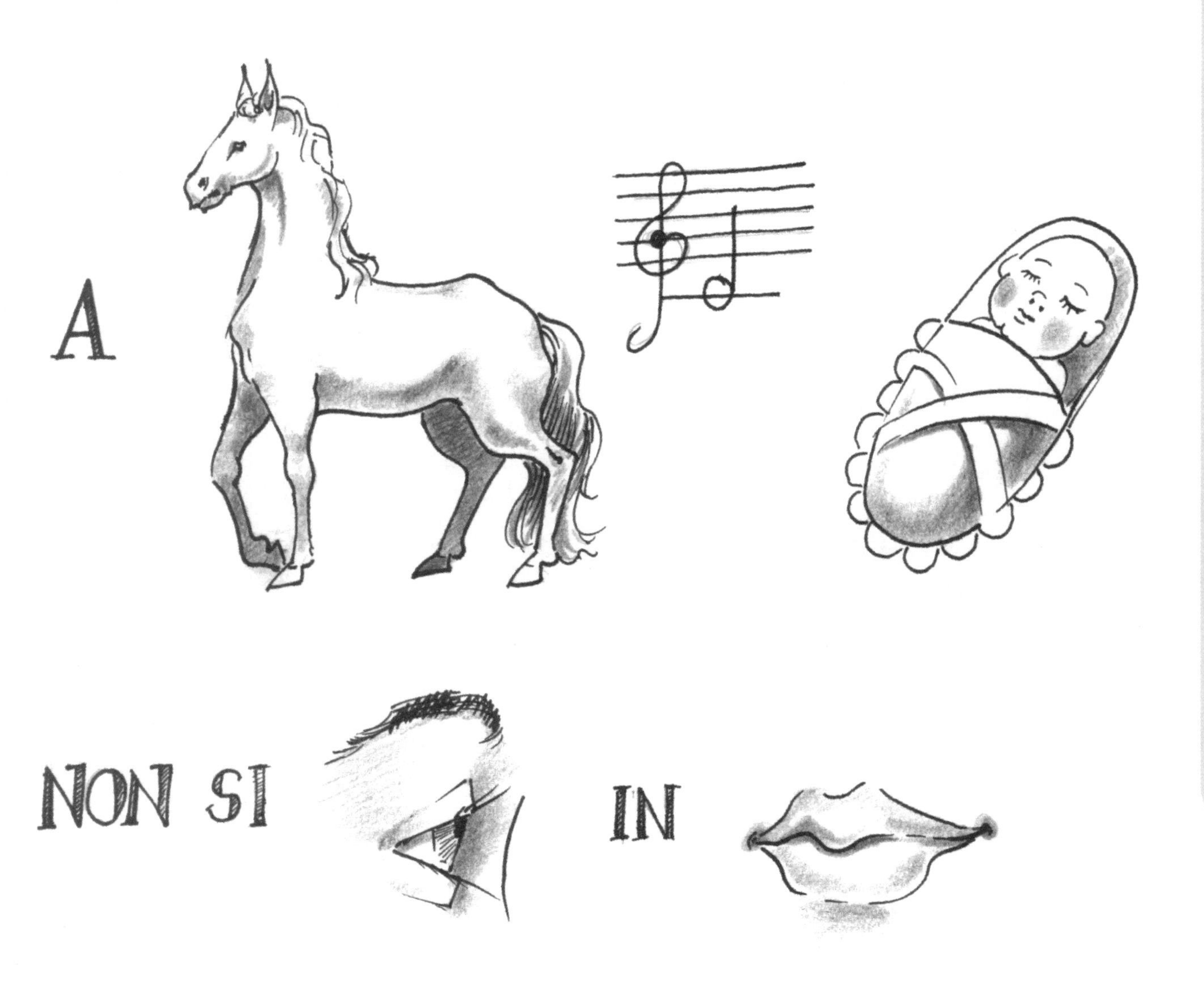

Unità 1 - Promemoria

Attività 2 - *Vedi il testo originale a pag. 11.*

Attività 3 - B.

Attività 4 - *Soluzione possibile:*

Unità 2 - Disegni

Attività 1, 2, 3 -
Voglia di valzer al chiaro di luna
I tre puntini sono qui di passaggio
Quattro quadrati grandi
Un'isola piena di vegetazione vista dall'aereo
Sarà velenoso?
Gira come una trottola ma è fermo
Insetti non ben definiti
Lo spazio di un sospiro
Segni leggeri mossi dal vento
L'inizio di un prato

Attività 4 - *Abbinamenti originali:*
1. Un'isola piena di vegetazione vista dall'aereo
2. Sarà velenoso?
3. Segni leggeri mossi dal vento
4. L'inizio di un prato
5. I tre puntini sono qui di passaggio
6. Lo spazio di un sospiro
7. Segni in equilibrio instabile
8. Quattro quadrati grandi
9. Insetti non ben definiti
10. Voglia di valzer al chiaro di luna
11. Gira come una trottola ma è fermo

Unità 3 - Altri numeri

Attività 1 -

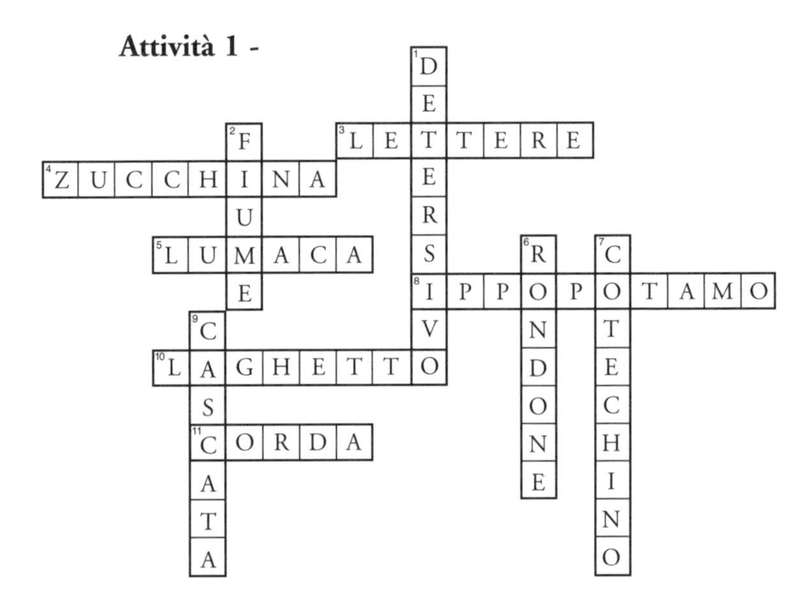

Attività 2 - lunga; età; corto; lunghezza; alti; distanza; tonnellate; giorno; mila; anni; velocità; velocità; velocità.

Attività 3 - *lunghezza*: centimetri, metri, chilometri; *peso*: quintali, tonnellate; *tempo*: anni, mesi, giorno, ora.

Attività 4 - *335 km/h:* trecentotrentacinque chilometri all'ora; *1,4 km/h:* uno virgola quattro chilometri all'ora; *44,6 km/h:* quarantaquattro virgola sei chilometri all'ora; *0,1 km/h:* zero virgola uno chilometri all'ora.

Unità 4 - Sole

Attività 4 - giungere.

Attività 5 - *È stato usato un criterio grammaticale, infatti ogni simbolo corrisponde a una categoria grammaticale.*

Attività 6 -

○ verbo	+ infinito	x art. det.	_ nome	: prep.	△ art. indet.	◊ agg.
Vorrei	girar	la	Spagna	sotto	un	rosso
Vorrei	girar	l'	ombrello	sotto	un	verde
vorrei	passare	il	Italia	Con	una	azzurro
	giungere		ombrello	sotto	un	rosa
			barchettina	al	un	cadente
			ombrello	sotto		
			mare	di		
			Partenone			
			ombrello			
			viole			

Unità 5 - Gli occhiali giusti

Attività 2 - specchio.

Attività 3 - occhiali.

Attività 4 - lenti, montatura.

Attività 5 - *montatura:* semplice, sobria, tondeggiante, squadrata, strette, lunghe; *viso:* proprio, ovale, rotondo, squadrato, angoloso, allungato; *occhiali:* giusti, giusti, rettangolari, ovali, giusti.

Attività 7 - *maschile singolare*: rettangolare, giusto, semplice, sobrio, tondeggiante, stretto, lungo; *femminile singolare:* ovale, rotonda, angolosa, allungata, rettangolare, giusta, stretta, lunga; *maschile plurale:* rotondi, squadrati, angolosi, allungati, semplici, sobri, tondeggianti, stretti, lunghi; *femminile plurale:* ovali, rotonde, squadrate, angolose, allungate, rettangolari, giuste, semplici, sobrie, tondeggianti.

Unità 6 - Padri e figli

Attività 3 - *hanno avuto molte difficoltà*: hanno faticato non poco; *non è d'accordo con quello che fa il padre:* non approva il comportamento del genitore; *non abbiamo abbastanza soldi per poterci divertire:* le spese non permettono di prendere in considerazione il capitolo "divertimenti".

Attività 4 - *figlio*: giovane; *padre*: pensionato, genitore, anziano; *carabinieri*: militari; *padre e figlio*: i due.

Attività 5 - [k]: chiude, casa, con, che, giocare, chiuso, consecutive, chiamato, carabinieri, faticato, poco, convincere, comportamento, considerazione, capitolo, cambiare, così.
[tʃ]: amici, bocce, successo, provincia, convincere.

Attività 6 - *Soluzioni possibili:*

68:	Quanti anni ha il padre?
A chi ha telefonato il padre?:	Ai carabinieri
Al bar:	Dove va il padre tutte le sere?
Lavora in un'impresa di pulizie:	Cosa fa il figlio?
No:	Il padre rientra presto la sera?
No, è in pensione:	Il padre lavora?
Dove vivono i due?	A Ospedaletti/ In un appartamento in affitto
Il figlio:	Chi ha chiuso fuori di casa il padre?
Tre volte:	Quante volte il figlio ha chiuso fuori il padre?

Attività 8 -
Vedi il testo originale a pag. 29.

Unità 7 - L'astronave

Attività 1 - spazio, astronauta, atterraggio, Terra, stazione spaziale, universo.

Attività 2 - = spazio; = astronauta; = Terra; = stazione spaziale; = atterraggio; = universo.

Attività 4 -

	con chi è andato nello spazio	dove è atterrato	quando è partito	chi lo aspettava al suo ritorno	quanto tempo è stato nello spazio
testo A	X	X			X
testo B			X	X	

Soluzioni

Attività 5 - *astronauta*: italiano; *cosmonauta*: russo; *turista*: sudafricano. *I 3 nomi sono tutti maschili. Il genere dei nomi è deducibile dagli articoli e dalla terminazione in -o degli aggettivi* (**l'**astronauta italian**o**; **il** cosmonauta russ**o**; **il** turista spaziale sudafrican**o**).

Attività 6 - *Vedi il testo originale a pag. 33.*

Unità 8 - Il tempo

Attività 1 - tempo.

Attività 4 - attimo, secolo, eternità, ore, minuti, secondo.

Attività 8 - al, allenarmi, difficile, mio, una.

Unità 9 - Cose di carta

Attività 1 - Sommersi dalla carta.

Attività 2 - riviste, quotidiani, giornali, ricette di cucina, reportage di viaggi, articoli sugli animali, carta straccia.

Attività 3 - l'idea di grande quantità.

Attività 4 - liberarmi di.

Attività 5 - *ne:* ritagli di riviste e quotidiani; *li:* ritagli di riviste e quotidiani; *mi:* Tricia, (l'autrice della lettera); *la:* carta straccia.

Unità 10 - La cresta

Attività 1 - Il personaggio della foto 2 (quello senza capelli).

Attività 2 - cresta.

Attività 3 - *mi ha dato fastidio:* mi è dispiaciuto; *per come la vedo io:* secondo me; *ti rendi conto:* capisci; *le porte ti vengono chiuse in faccia:* le persone non ti accettano; *gli occhi della gente addosso:* che tutti ti guardano.

Unità 11 - La paghetta

Attività 3 - *scuola:* trimestre, assenze, studente, studenti, si applicano, preside, frequentare, lezioni, condotta, studio, alunni, triennio, ispettori scolastici.
soldi: euro, paghetta, incentivo, incassano, ricco, premio di produzione, sterline, assegni, hanno riscosso, povere.

Attività 4 - *incassano:* prendono; *rigano dritto:* si comportano bene; *un mucchio di soldi:* molti soldi; *sta andando alla grande:* sta avendo successo; *alle spalle:* dietro; *disastroso:* molto brutto.

Attività 5 - *Soluzioni possibili:*
a: quanto incassano gli studenti? b: quanti euro sono 80 sterline? c: quante lezioni bisogna frequentare per avere la paghetta? d: quanti anni hanno gli studenti dell'Year 11? e: quanti studenti hanno riscosso il premio?

Attività 8 - *Vedi il testo originale a pag. 49.*

Unità 12 - La dolce vita

Attività 4 -

	espressione del testo	significato
Taj Mahal	*decisamente*	**molto**
	ambiente raccolto	**luogo intimo**
	da capogiro	**così buone da far girare la testa**
	imperdibile	**che non si può perdere**
Dongiò	*lume*	**luce**
	trattoria	**ristorante**
	è costantemente presa d'assalto	**è sempre frequentata da tanta gente**
	tanta folla	**molte persone**
	artigianali	**fatti in casa**
Al vecchio porco	*suini*	**maiali**
	veranda	**terrazza chiusa**

Attività 5 - *aggettivi che si riferiscono al cibo:* indiana, cotte, speziate, fragranti, marinate, ottime, abbondanti, artigianali.

Attività 10 - *Vedi il testo originale a pag. 53.*

Unità 14 - Scena sesta

Attività 1 - 1: C; 2: A; 3: B.

Attività 3 - 1: scrivania; 2: ginocchia; 3: contagocce; 4: boccetta; 5: tappo; 6: citofono; 7: pulsante; 8: cassetto.

Attività 5 - *fissa:* guarda intensamente; *scaraventa:* lancia con forza; *poggia:* mette; *tira fuori:* prende; *riavvita:* richiude; *ripone:* rimette.

Attività 7 - *articolo*: **la** scrivania, **la** scritta, **la** macchina, **la** porta; *pronome*: **lo** accartoccia, **lo** scaraventa, **la** poggia, **la** ripone, **la** piazza.

Attività 8 - rischia.

Attività 10 - *Vedi il testo originale a pag. 60.*

Unità 15 - Prima del bip

Attività 1 - a: 3; b: 7; c: 1; d: 5; e: 2; f: 4; g: 6.

Attività 7 e 8 - *Vedi il testo originale a pag. 65.*

Unità 16 - Una favola americana

Attività 2 - 1: no; 2: no; 3: no; 4: può essere; 5: può essere.

Attività 5 - *personale:* 3; *capitale:* 3; *catena:* 3.

Attività 7 - Una disoccupata sta cercando lavoro come donna delle pulizie alla Microsoft. L'addetto del dipartimento del personale le fa fare un test (scopare il pavimento) poi passa a un colloquio e alla fine le dice: "Sei assunta, dammi il tuo indirizzo di e-mail così ti mando un modulo da riempire insieme al luogo e la data in cui ti dovrai presentare per iniziare".
La donna, sbigottita, risponde che non ha il computer, né tantomeno la posta elettronica. Il tipo le risponde che se non ha un indirizzo e-mail significa che virtualmente non esiste e quindi non le possono dare il lavoro.

Unità 17 - In viaggio

Attività 1 - *L'ordine delle domande è il seguente:* 5 - 4 - 1 - 6 - 3 - 2.

Attività 2 - *Soluzioni possibili:*

viaggiare *per*	viaggiare *è*	viaggiare *come*	viaggiare *con cosa*
scelta	*andare incontro a qualcosa che non è rassicurante*	*da sola*	*zaino*
necessità	*una verifica con te stesso*	*lavorando*	*federa*
lavoro	*necessario*	*all'avventura*	*cuscino*
bisogno		*con prudenza*	*libri*
per cercare storie interessanti			*taccuino*
			telecamera

Attività 3 - rassicurante; ignoto; itinerante; enorme.

Unità 18 - Quegli uomini che

Attività 1 - 1/F; 2/C; 3/D; 4/A; 5/E; 6/B.

Attività 2 - a: fa andare in bestia; b: stargli (così) addosso; c: i fatti nostri; d: che mi prendano per; e: mettere il naso fuori; f: con lei non ho più niente a che vedere.

Soluzioni

Unità 19 - Il quadro

Attività 5 - a. contemplando (contemplare); b. fissare; c. guardarla (guardare).

Attività 8 - *Vedi il testo originale a pag. 79.*

Unità 20 - Tiscali lavoro

Attività 2 - *Vedi il testo originale a pag. 84.*

Attività 4 - in tronco; la dice lunga.

Attività 7 - almeno così.

Attività 8 - *nel dizionario:* insignificante; insipido; insoddisfatto; insofferente; *nell'articolo:* incompetenti.

Unità 21 - Melodramma

Attività 1 - melo / dramma.

Attività 4 - *Soluzioni possibili:*

Melinda Val di Non	Melasì Melinda Val di Non	Melasì
è ancora più rara	crescono all'aria aperta maturano alla luce del sole sono croccanti e hanno un gusto inimitabile	sono colpite dalla grandine e hanno qualche lieve imperfezione sono di primissima qualità sono garantite dal Consorzio Melinda costano meno

Attività 7 - *Soluzioni possibili:* UVA MELA PESCA LIMONE ARANCIA CILIEGIA ALBICOCCA PISTACCHIO.

Attività 9 - *Vedi il testo originale a pag. 88.*

Unità 22 - La Costituzione

Attività 2 - B: Costituzione.

Attività 3 - 1: strisce; 2: fondamentali; 3: rispetto; 4: rifiuta; 5: aggressione; 6: problemi; 7: uguale; 8: importanza; 9: differenza; 10: eliminare; 11: tipo; 12: potere; 13: usa; 14: favorisce; 15: difende.

Attività 5 - *I numeri degli articoli a pag. 93 sono:* art. 12; art. 2; art. 11; art. 3; art. 1; art. 9.

Unità 23 - Regali

Attività 1 - a, b, c, d: *La soluzione è il testo originale a pag. 97-98.*

Attività 3 - *interdetti:* senza parole, disorientati; *collidono:* si scontrano, sono in contrasto; *fini:* raffinati, eleganti; *attenua:* riduce, diminuisce; *di rigore:* necessaria, indispensabile.

Attività 5 - A caval(lo) donato non si guarda in bocca.

Unità 24 - L'ispettore

Attività 1 - *Soluzioni possibili:* furto, ladro.

Attività 2 - *La soluzione è l'attività 6.*

Attività 4 - *informatore della polizia:* confidente; *probabile:* presunto; *trovare dopo una ricerca:* rintracciare; *dichiarano:* protestano; *abitare:* alloggiare.

Attività 5 - *detto:* Mario Redi/che è detto; *sorvegliato:* Aldo Sodo/che è sorvegliato; *perpetrato:* furto/che è stato perpetrato; *avute:* informazioni/che ha avuto; *fotografati:* individui/che sono fotografati *(anche*: che sono stati fotografati).

Attività 6 - pennello da barba; pettine; guanti; fiammiferi; Cognac.

Unità 25 - Maschio/Femmina

Attività 1 - B.

Attività 2 - *da piccoli* l'opposizione maschio/femmina...; *da ragazzi* non si usano più...; *da adulti* i due termini vengono utilizzati...

Attività 3 - *femmina:* 2; 3; 4; *maschio:* 2; 4; 6.

Unità 26 - Telecamere

Attività 9 - *Vedi il testo originale a pag. 106.*

Unità 27 - Accordo di nozze

Attività 2 - *Vedi il testo originale a pag. 112.*

Attività 4 - *secondo la legge:* a norma di legge; *scandalizzare:* suscitare scalpore; *di condizione sociale elevata:* d'alto bordo; *in crisi fin dall'inizio:* languenti sul nascere.

Unità 28 - Amilcare Carruga

Attività 6 - *scorressero*: gli pareva che; *ci fosse*: qualunque spettacolo; *vedesse*: è come se; *vedesse*: era come se non.

Attività 8 - 1. Ebbene; 2. eppure; 3. Già; 4. mettiamo; 5. Già; 6. Magari; 7. mettiamo; 8. eppure; 9. Magari; 10. Ebbene.

Attività 10 - 1. s'accorse; 2. abbassava; 3. viaggiava; 4. si divertiva; 5. s'annoiava; 6. capì; 7. ordinò; 8. cambiò; 9. divenne

Unità 29 - Il congiuntivo

Attività 2 - *Sender:* La Mailing List per insegnanti di Italiano; *Subject:* congiuntivo

Attività 4 - **1/ SÌ:** *vedi le parti evidenziate nel testo.* **2/SÌ:** Allo stesso modo fanno quelli che cominciano la frase con la secondaria: "che sia opportuno lo affermo con tutte le mie forze!". Anche qui mi usano in parecchi perché altrimenti c'è il rischio di non capire bene che quella frase lì è subordinata (mentre quando la costruzione della frase mi aiuta non sto certo a intervenire io: "affermo con tutte le mie forze che è opportuno"). **3/SÌ:** Oh, un momento: su molti piani sono ancora piuttosto indipendente (fossi matto! Che vi prenda un colpo!). **4/NO. 5/NO. 6/NO. 7/SÌ:** Dopo un perché finale se ci metti quel debosciato dell'indicativo cambi tutto il senso della frase, no? Pensaci bene: se preghi perché Silvio sta male significa che ti preoccupi per lui. Ma se preghi perché Silvio stia male...**8/SÌ:** Ci sono per esempio quelli che introducono la secondaria senza il "che": eh, in quei casi non ci sono santi, devo intervenire per forza io a marcare la subordinata: "penso sia sabato" (e qui nessuno usa l'indicativo perché non si capirebbe più niente).

Attività 8 - *Bei tempi!:* nostalgia; *Ma quando mai!:* dissenso; *fossi matto!:* dissenso; *Che vi prenda un colpo!:* maledizione; *Ma va benone!:* consenso; *Silvio magari un giorno si ammalasse:* desiderio; *sia ringraziato il cielo:* sollievo; *lo volesse la Madonna:* desiderio.

Fonti

pag. 10: il disegno è tratto dal sito *www.bibliolab.it/pace/pace12.htm.*
pag. 11: la poesia "Promemoria" è tratta da Gianni Rodari "Il secondo libro delle filastrocche" Einaudi, 1985.
pag. 13-14-15-16: le didascalie e i disegni sono tratti da Bruno Munari, "Prima del disegno", Corraini Edizioni, 1996.
pag. 18: il testo "Altri numeri" è tratto da "Agenda 2001-Libera università d'Alcatraz".
pag. 20: la poesia "Sole" è tratta da Aldo Palazzeschi "La lirica d'Occidente", Ed. TEA.
pag. 23: la definizione del dizionario è stata adattata da T. De Mauro - G. G. Maroni "Dizionario di base", Paravia, 1996.
pag. 25: il testo "Gli occhiali giusti" è tratto da "Donna Moderna, agenda settimanale", in "Pagine blu 1999-2000".
pag. 28-29: la vignetta e l'articolo sono tratti da "La Repubblica" del 6 Agosto 2002.
pag. 33: l'articolo di sinistra è tratto da "CityMilano" del 6 Maggio 2002, l'articolo di destra è tratto da "Leggo" del 6 Maggio 2002.
pag. 36-37: le pubblicità Lorenz sono dell'Agenzia Marani / Omnia.com.
pag. 41: l'articolo è tratto da "Info/Psiche lei" di Silvia Vegetti Finzi in "Il Corriere della sera - Io donna"
pag 42: le definizioni del dizionario sono tratte da T. De Mauro - G. G. Maroni "Dizionario di base", Paravia, 1996.
pag 44: il testo e le foto sono tratte da Carlo Antonelli - Marco Delogu - Fabio De Luca "Fuori tutti" Ed. Einaudi, 1996.
pag 48-49: la vignetta e l'articolo sono tratti da "La Repubblica" del 14 Marzo 2000.
pag. 53: l'articolo di sinistra è tratto da "Milano Pass 2002", l'articolo di centro da "Milano Pass 1998", l'articolo di destra da "Urban" del 4 Novembre 2002.
pag. 57: la poesia "La tazza" è tratta da Franco Fortini, "Composita solvantur, sette canzonette del Golfo", Ed. Einaudi.
pag. 60: il testo è tratto da Massimiliano Governi, "L'uomo che brucia", Einaudi, Stile libero, 2000.
pag. 65: i testi sono tratti da Roby & Paolo "Segreteria telefonica show", Parole di cotone edizioni.
pag. 69: l'articolo è tratto da "Il Manifesto" del 18 Novembre 2000.
pag. 71: le definizioni del dizionario sono tratte da T. De Mauro - G. G. Maroni "Dizionario di base", Paravia, 1996.
pag. 73: l'intervista è tratta da "I viaggi di Repubblica" del 13 Aprile 2000.
pag. 76: il fumetto è tratto da "Tuttolibri - Donne a fior di nervi" in "La Stampa" del 17 Febbraio 2001.
pag. 79: il racconto è tratto da Eduardo Galeano "Finestre", traduzione Trambaioli Marcella, in "Il Manifesto".
pag. 83: la pagina è tratta dal sito Tiscali lavoro, *www.tiscali.it.*
pag. 86: le definizioni del dizionario sono tratte da T. De Mauro - G. G. Maroni "Dizionario di base", Paravia, 1996.
pag. 88: la Pubblicità delle mele Melinda è dell'Agenzia Armando Testa.
pag. 93: gli articoli sono tratti dalla Costituzione italiana.
pag. 94: i testi sono tratti dal sito *www.adottiamolacostituzione.it.*
pag. 97-98: il testo è tratto da Paolo Balboni "Parole comuni culture diverse", Ed. Marsilio, 1999.
pag. 100: la pagina è tratta da "Il blocco enigmistico", Anno III, numero 8 dell'Aprile 1997.
pag. 103: l'articolo è tratto da "La Repubblica" del 30 Agosto 2002.
pag. 104: le definizioni del dizionario sono tratte da T. De Mauro - G. G. Maroni "Dizionario di base", Paravia, 1996.
pag. 106: l'articolo è tratto da "Urban" del 28 Gennaio 2002.
pag. 107: le definizioni del dizionario sono tratte da T. De Mauro - G. G. Maroni "Dizionario di base", Paravia, 1996.
pag. 112: l'articolo è tratto da "Info/il caso" di Vittorino Andreoli in "Il Corriere della Sera - Io donna" del 10 Febbraio 2001.
pag. 115: il testo è tratto da Italo Calvino "L' avventura di un miope" in "Gli amori difficili", Ed. A. Mondadori, 1993.
pag. 120-121: l'email è tratta dalla lista di discussione *ITALIANO_L2@mbox1.unistrapg.it.* L'autore è Roberto Tartaglione, direttore della "Scuola d'Italiano" di Roma.
pag. 124: il disegno in basso a destra è tratto da Roberto Piumini "Calicanto", Ed. Einaudi, 1988.

Alma Edizioni
Italiano per stranieri

Corsi di lingua

Espresso 1
corso di italiano - livello principiante
- *libro dello studente ed esercizi*
- *guida per l'insegnante*
- *cd audio*

Espresso 2
corso di italiano - livello intermedio
- *libro dello studente ed esercizi*
- *guida per l'insegnante*
- *cd audio*

Espresso 3
corso di italiano - livello avanzato
- *libro dello studente ed esercizi*
- *guida per l'insegnante*
- *cd audio*

Grammatiche ed eserciziari

Grammatica pratica della lingua italiana
esercizi, test, giochi sulla grammatica italiana

Italian grammar in practice
esercizi, test, giochi sulla grammatica italiana *(versione per anglofoni)*

I pronomi italiani
grammatica, esercizi, giochi sui pronomi italiani

Le preposizioni italiane
grammatica, esercizi, giochi sulle preposizioni italiane

Le parole italiane
esercizi e giochi per imparare il lessico

Verbissimo
le coniugazioni di tutti i verbi italiani

Grammatica italiana
grammatica essenziale con regole ed esempi d'uso

Alma Edizioni
Italiano per stranieri

Ascoltare, leggere, parlare, scrivere

Canta che ti passa
unità didattiche su 15 canzoni italiane d'autore, per imparare l'italiano con le canzoni
- *libro*
- *cd audio con le 15 canzoni originali*

Bar Italia
articoli sulla vita italiana con attività per leggere, parlare, scrivere

Giocare con la letteratura
18 unità didattiche su scrittori italiani del '900

Ricette per parlare
attività e giochi per la produzione orale

Letture in gioco
attività e giochi per leggere in italiano

Cinema italiano - collana di film brevi sottotitolati

No mamma no - La grande occasione (1° livello)
- *libro di attività*
- *videocassetta con due cortometraggi d'autore sottotitolati*

Colpo di testa - La cura (2° livello)
- *libro di attività*
- *videocassetta con due cortometraggi d'autore sottotitolati*

Camera obscura – Doom (3° livello)
- *libro di attività*
- *videocassetta con due cortometraggi d'autore sottotitolati*

Giochi

Parole crociate 1° livello
cruciverba e giochi per imparare il lessico e la grammatica

Parole crociate 2° livello
cruciverba e giochi per imparare il lessico e la grammatica

Parole crociate 3° livello
cruciverba e giochi per imparare il lessico e la grammatica

Alma Edizioni
Italiano per stranieri

Letture facili - collana di racconti originali con audiocassetta

1° livello - 500 parole

Dov'è Yukio?
Radio Lina
Il signor Rigoni
Pasta per due

2° livello - 1000 parole

Fantasmi
Maschere a Venezia
Amore in paradiso
La partita

3° livello - 1500 parole

Mafia, amore & polizia
Modelle, pistole e mozzarelle
L'ultimo Caravaggio

4° livello - 2000 parole

Mediterranea
Opera!
Piccole storie d'amore

5° livello - 2500 parole

Dolce vita
Un'altra vita

ALMA EDIZIONI
viale dei Cadorna, 44
50129 Firenze - Italia
tel ++39 055476644
fax ++39 055473531
info@almaedizioni.it
www.almaedizioni.it